第４版

乙種第4類危険物取扱者 スピードテキスト

危険物研究会 編

TAC出版
TAC PUBLISHING Group

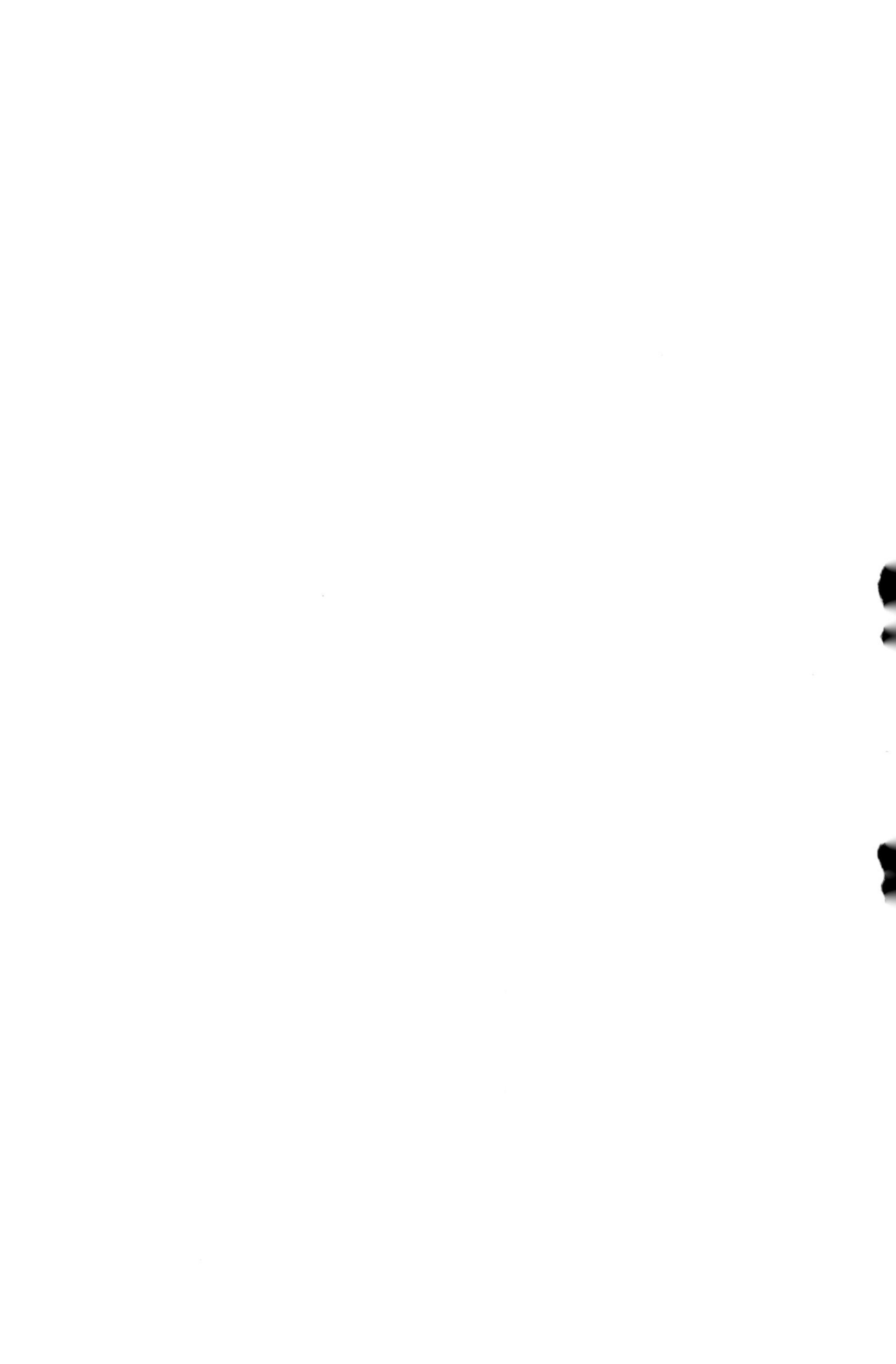

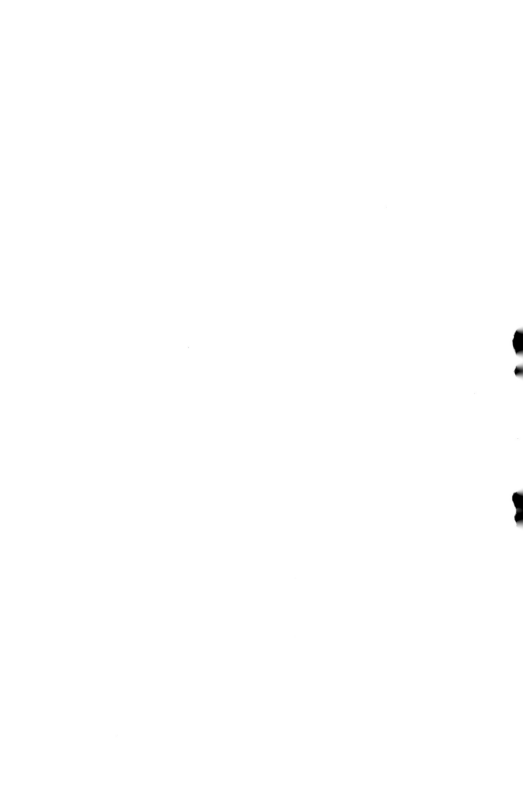

まえがき

わたしたちの生活は、石油なしには成り立たないといっても過言ではありません。それほどにエネルギーとしての依存度が高く、石油は世界経済の命脈を握っているともいえるでしょう。身近においても、ガソリンが高くなった、灯油が高くて経費がかさむ、運送業界も漁業関係者も燃料費がかさんで採算が取れないと悲鳴を上げている昨今です。このようなことは、個人生活レベルでもだれもが実感していることではあります。

また一方で、身近なエネルギーであるガソリンや灯油は、その扱いを誤ると大惨事につながりかねません。そのため、危険物を取り扱うためには国家資格が必要とされます。本書は、需要の多いガソリンや灯油・軽油・重油・アルコール類などの引火性液体を扱う乙種第４類危険物取扱者の資格を目指す人のために編集いたしました。試験に直結する要点を分析し、イラストや図表を多用し、視覚的にも理解しやすいよう工夫を重ねております。章末には例題を設け、実際の試験でどのように出題されるのかが分かるようにしてあります。

危険物取扱者の免状は、甲種・乙種・丙種の３つに分類されます。第１類から第６類までのすべてを扱うことができるのが甲種、全６類のうち各類ごとの試験に合格した類のみを扱うことができるのが乙種、乙種第４類のうちガソリンや灯油などの指定された危険物だけを扱うことができるのが丙種です。

試験は３科目に分かれ、合計35題出題されますが、合格するためには各科目とも最低60％の正解率が必要です。１科目でも正解率が60％に満たないと合格できません。国家試験に向けてぜひ本書を活用されて、理解を深めていただきたいものです。

本書の姉妹編として『スピード問題集』も同時発売いたしておりますので、本書と併せて活用されればいよいよ万全のことと思います。

読者の合格を心より祈念いたします。

本書の特徴

本書は効率よく学習するための工夫を随所に取り入れました。その大きな特徴は、以下のような立体的解説にあります。

(1)　テキスト本文部分は原則を中心に解説した。

(2)　奇数ページには見開きに該当する例外や用語解説・参考・要注意事項等をまとめた。

(3)　図解して視覚的に理解しやすいようにした。

(4)　試験頻出のポイントを適宜示した。

(5)　各節の始めに、その節の「まとめ丸暗記」を配し、試験直前のチェックにも使えるようにした。

(6)　例題を載せて、実際の試験ではどのような形で出題されるのかを明示した。

効率のよい学習法

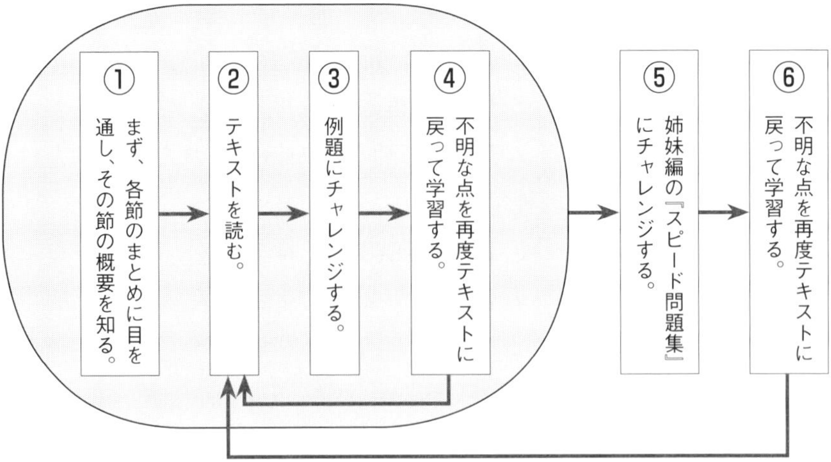

① まず、各節のまとめに目を通し、その節の概要を知る。
→ ② テキストを読む。
→ ③ 例題にチャレンジする。
→ ④ 不明な点を再度テキストに戻って学習する。（→②へ）
→ ⑤ 姉妹編の『スピード問題集』にチャレンジする。
→ ⑥ 不明な点を再度テキストに戻って学習する。（→②へ）

もくじ

◎本文イラスト　みながわ・こう／永田哲樹

乙種第４類危険物取扱者試験受験ガイド

(1) 危険物取扱者の種類

危険物取扱者には、甲種・乙種・丙種の３種類がある。

① 甲種……第１類から第６類までのすべてを扱うことができる。

② 乙種……全６類のうち各類ごとの試験に合格した類のみを扱うことができる。

③ 丙種……乙種第４類のうちガソリンや灯油などの指定された危険物だけを扱うことができる。

(2) 受験資格と受験手続き

危険物取扱者の試験は、「財団法人消防試験研究センター」が実施している。

① 実施時期……各都道府県ごとに試験の種類によってまちまちなので、問い合わせて確認すること。なお、東京都では乙種第４類の試験に関しては、ほぼ毎週実施している。

② 受験資格……乙種・丙種の場合は国籍・年齢・学歴が問われないだけでなく、居住地の制限もない。

③ 受験手続き

消防試験研究センターの支部、または消防機関において、以下の３点がセットで入手できる。

ⓐ 受験案内

ⓑ 危険物取扱者試験受験願書

ⓒ 受験料の振込用紙

上記３点を入手したなら、

㋐ 願書に必要な事項を記入し、写真（縦３㎝×横2.4㎝）１枚を貼付して、指定場所へ直接持参するか郵送する。ただし、東京都の場合は郵送のみ。その際、郵便局や銀行で振り込んだ受験手数料の振込受付証明書を必ず貼付すること。

Ⓘ すでに他の乙種の類の危険物取扱者免状を所有している者は、試験科目の一部免除が受けられる。該当する者は、願書の所定欄に既得免状のコピーを貼付する。

(3) 試験内容

乙種第4類危険物取扱者試験の試験科目は、以下の通りである。

① 危険物に関する法令

② 基礎的な物理学および基礎的な化学

ⓐ 危険物の取扱作業に関する保安に必要な基礎的な物理学

ⓑ 危険物の取扱作業に関する保安に必要な基礎的な化学

ⓒ 燃焼および消火に関する基礎的な理論

③ 危険物の性質と火災予防・消火方法

ⓐ すべての類の危険物の性質に関する基礎的な概論

ⓑ 第4類危険物に共通する特性

ⓒ 第4類危険物に共通する火災予防および消火方法

ⓓ 第4類危険物の品名ごとの一般性質

ⓔ 第4類危険物の品名ごとの火災予防および消火方法

ⓕ 出題数は①は15題、②③はそれぞれ10題の計35題である。時間は2時間となっている。

試験はこれら3科目に関する筆記試験であり、実技試験はない。また、出題形式は五肢択一式で、解答方法はマークシート式である。

(4) 合格発表と免状の交付

各都道府県ごとに異なるので、各自確認すること。詳しくは受験案内書に記載されているはずである。なお、東京都の場合は、試験当日の午後に合格発表があり、合格者は会場で「危険物取扱者合格通知書」が手渡される。

また、電話での合否の確認等は受け付けられないので注意する。

免状の申請手続き時には、以下のことに注意する。

① 免状交付申請は、必ず本人が行う。

② 手続き期間や時間を確認する。

③ 申請手数料の納入は、手続き窓口では受け付けていないので確認する。

④ 受験地の都道府県発行の「収入証紙」をあらかじめ市町村役場や出先機関等で購入しておく。なお、東京都の場合には、試験会場の中央試験センター内で購入できる。

申請手続きを終えると、約２週間後には免状の交付を受けることができる。

㈶消防試験研究センター支部一覧

中央試験センター……〒151−0072　東京都渋谷区幡ケ谷1−13−20　☎03−3460−7798
北海道支部……〒060−0005　札幌市中央区北５条西6−2−2　札幌センタービル12階
☎011−205−5371
青森県支部……〒030−0861　青森市長島2−1−5　みどりやビルディング４階
☎017−722−1902
岩手県支部……〒020−0015　盛岡市本町通1−9−14　JT本町通ビル５階
☎019−654−7006
宮城県支部……〒981−0914　仙台市青葉区堤通雨宮町4−17　県仙台合同庁舎５階
☎022−276−4840
秋田県支部……〒010−0001　秋田市中通4−3−23　県消防会館２階　☎018−836−5673
山形県支部……〒990−0025　山形市あこや町3−15−40　田代ビル２階
☎023−631−0761
福島県支部……〒960−8043　福島市中町4−20　みんゆうビル２階　☎024−524−1474
茨城県支部……〒310−0852　水戸市笠原町978−25　㈶茨城県開発公社ビル４階
☎029−301−1150
栃木県支部……〒320−0032　宇都宮市昭和1−2−16　県自治会館１階
☎028−624−1022
群馬県支部……〒371−0854　前橋市大渡町1−10−7　群馬県公社総合ビル５階
☎027−280−6123
埼玉県支部……〒330−0062　さいたま市浦和区仲町2−13−8　ほまれ会館２階
☎048−832−0747
千葉県支部……〒260−0843　千葉市中央区末広2−14−1　ワクボビル３階
☎043−268−0381
神奈川県支部……〒231−0015　横浜市中区尾上町5−80　神奈川中小企業センター７階
☎045−633−5051
新潟県支部……〒951−8135　新潟市関屋新町通2−96−10　関新ビル２階202号
☎025−231−1444
富山県支部……〒939−8201　富山市花園町4−5−20　県防災センター２階
☎076−491−5565
石川県支部……〒920−0912　金沢市大手町15−14　アーバンハイム大手町２階
☎076−264−4884
福井県支部……〒910−0003　福井市松本3−16−10　県福井合同庁舎５階
☎0776−21−7090
山梨県支部……〒400−0031　甲府市丸の内1−9−11　県民会館２階　☎055−227−6039
長野県支部……〒380−8570　長野市大字南長野字幅下692−2　県庁東庁舎１階
☎026−232−0871
岐阜県支部……〒500−8384　岐阜市薮田南1−5−1　第２松波ビル２階
☎058−274−3210
静岡県支部……〒420−0034　静岡市常磐町1−4−11　杉徳ビル４階　☎054−271−7140
愛知県支部……〒461−0011　名古屋市東区白壁1−50　県白壁庁舎２階
☎052−962−1503

三重県支部……〒514-0003　津市桜橋3-446-34　県津庁舎５階　☎059-226-8930
滋賀県支部……〒520-0044　大津市京町3-4-22　滋賀会館北館３階
☎077-525-2977
京都府支部……〒602-8054　京都市上京区出水通油小路東入丁字風呂町104-2
京都府庁西別館３階　☎075-411-0095
大阪府支部……〒540-0012　大阪市中央区谷町2-9-3　近鉄大手前ビル２階
☎06-6941-8430
兵庫県支部……〒650-0011　神戸市中央区下山手通5-12-7　協和ビル７階702号
☎078-361-6610
奈良県支部……〒630-8301　奈良市高畑町菩提1116-6　なら土連会館３階
☎0742-27-5119
和歌山県支部……〒640-8249　和歌山市雑賀屋町51　第２汀ビル２階　☎073-425-3369
鳥取県支部……〒680-0061　鳥取市立川町6-176　鳥取県東部総合事務所４階
☎0857-20-3669
島根県支部……〒690-0882　松江市大輪町420-1　県大輪町団体ビル２階
☎0852-27-5819
岡山県支部……〒703-8245　岡山市藤原25　県自動車会館２階　☎086-271-6727
広島県支部……〒730-0012　広島市中区上八丁堀8-23　林業ビル４階
☎082-223-7474
山口県支部……〒753-0083　山口市後河原松柄150-1　県庁分庁舎２階
☎083-924-8679
徳島県支部……〒770-0939　徳島市かちどき橋1-41　県林業センター４階
☎088-652-1199
香川県支部……〒760-0066　高松市福岡町2-2-2　香川県産業会館４階
☎087-823-2881
愛媛県支部……〒790-0003　松山市三番町4-10-1　県三番町ビル１階
☎089-932-8808
高知県支部……〒780-0823　高知市菜園場町1-21　四国総合ビル４階401号
☎088-882-8286
福岡県支部……〒812-0034　福岡市博多区下呉服町１番15号　ふくおか石油会館３階
☎092-282-2421
佐賀県支部……〒840-0831　佐賀市松原1-2-35　㈶佐賀商工会館西別館２階
☎0952-22-5602
長崎県支部……〒850-0037　長崎市金屋町9-3　市民防火センター２階
☎095-822-5999
熊本県支部……〒862-0976　熊本市九品寺1-18-2　県消防会館２階
☎096-364-5005
大分県支部……〒870-0023　大分市長浜町2-12-10　昭栄ビル２階　☎097-537-0427
宮崎県支部……〒880-0804　宮崎市宮田町1-11　県自治会館３階　☎0985-22-0239
鹿児島県支部……〒890-0067　鹿児島市真砂本町51-22
南国ショッピングセンタービル２階　☎099-213-4577
沖縄県支部……〒900-0029　那覇市旭町14　自治会館５階　☎098-867-5332

※最新情報はホームページで確認できます。
（http://www.shoubo-shiken.or.jp）

第1章
危険物に関する法令

1 危険物の定義と貯蔵・取扱い

まとめ＆丸暗記 ■ この節の学習内容と総まとめ

□　消防法の目的……①火災の予防・警戒②国民の生命、財産を火災から守る③これらを通じ、社会公共の福祉の増進に資する。

□　危険物とは、消防法別表第１の品名欄に掲げる物品で、同表に定める区分に応じ同表の性質欄に掲げる性状を有するもの。

□　危険物は、第１類から第６類まで６つの類に分けられる。

□　第１類……酸化性固体
□　第２類……可燃性固体
□　第３類……自然発火性物質および禁水性物質
□　第４類……引火性液体
□　第５類……自己反応性物質
□　第６類……酸化性液体

□　指定数量とは、危険物として消防法の適用を受ける数量の基準値である。

□　指定数量の倍数

$$=\frac{\text{貯蔵または取り扱う危険物の数量}}{\text{その危険物の指定数量}}$$

□　指定数量未満の危険物は、市町村条例による規制を受ける。

□　危険物施設の区分

①　貯蔵所……ⓐ屋内貯蔵所ⓑ屋外タンク貯蔵所ⓒ屋内タンク貯蔵所ⓓ地下タンク貯蔵所ⓔ簡易タンク貯蔵所ⓕ移動タンク貯蔵所ⓖ屋外貯蔵所

②　取扱所……ⓐ給油取扱所ⓑ販売取扱所（第１種・第２種）ⓒ移送取扱所ⓓ一般取扱所

消防法上の危険物

1 消防法

消防法は第1章から第9章まで全49条からなっている。その第1章第1条の総則（目的）は、以下のとおりである。

第1条　この法律は、火災を予防し、警戒しおよび鎮圧し、国民の生命、身体および財産を火災から保護するとともに、火災または地震等の災害に因（よ）る被害を軽減し、もって安寧（あんねい）秩序を保持し、社会公共の福祉の増進に資することを目的とする。

2 危険物の定義

ここでいう危険物とは、消防法第2条第7項において「**別表第1の品名欄に掲げる物品で、同表に定める区分に応じ同表の性質欄に掲げる性状を有するものをいう**」と定義されている。

この別表は、とくに危険度の高い物品を第1類から第6類までに分類したもので、火災発生や拡大の危険度が高く、消火も困難であることなどの性状から危険物として指定されたものを掲げている。また、この別表には類ごとに「**性質欄**」と「**品名欄**」があり、その性状と物品が示されている。

●一般に、危険物とは引火性物質、爆発性物質、毒劇物、放射性物質などを総称している場合が多い。これらの物質は、それぞれにその貯蔵や取扱いが異なるために、その安全確保の見地から、種々の法令によって保安規制が行われている。

消防法のほかに、高圧ガス保安法、薬事法、火薬取締法、毒物及び劇物取締法、航空法など、いろいろな法令がある

◆ 消防法別表 ◆

類別	性　質	品　　名
第１類	酸化性固体	1　塩素酸塩類　2　過塩素酸塩類 3　無機過酸化物　4　亜塩素酸塩類 5　臭素酸塩類　6　硝酸塩類 7　よう素酸塩類　8　過マンガン酸塩類 9　重クロム酸塩類 10　その他のもので政令で定めるもの 11　前各号に掲げるもののいずれかを含有するもの
第２類	可燃性固体	1　硫化りん　2　赤りん 3　硫黄　4　鉄粉 5　金属粉　6　マグネシウム 7　その他のもので政令で定めるもの 8　前各号に掲げるもののいずれかを含有するもの 9　引火性固体
第３類	自然発火性物質 および 禁水性物質	1　カリウム　2　ナトリウム 3　アルキルアルミニウム　4　アルキルリチウム 5　黄りん 6　アルカリ金属（カリウムおよびナトリウムを除く）およびアルカリ土類金属 7　有機金属化合物（アルキルアルミニウムおよびアルキルリチウムを除く） 8　金属の水素化物　9　金属のりん化物 10　カルシウムまたはアルミニウムの炭化物 11　その他のもので政令で定めるもの 12　前各号に掲げるもののいずれかを含有するもの
第４類	引火性液体	1　特殊引火物　2　第１石油類 3　アルコール類　4　第２石油類 5　第３石油類　6　第４石油類 7　動植物油類
第５類	自己反応性物質	1　有機過酸化物　2　硝酸エステル類　3　ニトロ化合物　4　ニトロソ化合物　5　アゾ化合物　6ジアゾ化合物　7　ヒドラジンの誘導体　8　ヒドロキシルアミン　9　ヒドロキシルアミン塩類　10　その他のもので政令で定めるもの　11　前各号に掲げるもののいずれかを含有するもの
第６類	酸化性液体	1　過塩素酸　2　過酸化水素 3　硝酸 4　その他のもので政令で定めるもの 5　前各号に掲げるもののいずれかを含有するもの

◆ 備考抜粋 ◆

10　**引火性液体**とは、液体（第３石油類、第４石油類および動植物油類にあっては、１気圧において、温度20℃で液状であるものに限る）であって、引火の危険性を判断するための政令で定める試験において引火性を示すものであることをいう。

11　**特殊引火物**とは、ジエチルエーテル、二硫化炭素その他１気圧において、発火点が100℃以下のものまたは引火点が零下20℃以下で沸点が40℃以下のものをいう。

12　**第１石油類**とは、アセトン、ガソリンその他１気圧において引火点が21℃未満のものをいう。

13　**アルコール類**とは、１分子を構成する炭素の原子の数が１個から３個までの飽和１価アルコール（変性アルコールを含む）をいい、組成等を勘案して総務省令で定めるものを除く。

14　**第２石油類**とは、灯油、軽油その他１気圧において引火点が21℃以上70℃未満のものをいい、塗料類その他の物品であって、組成等を勘案して総務省令で定めるものを除く。

15　**第３石油類**とは、重油、クレオソート油その他１気圧において引火点が70℃以上200℃未満のものをいい、塗料類その他の物品であって、組成を勘案して総務省令で定めるものを除く。

16　**第４石油類**とは、ギヤー油、シリンダー油その他１気圧において引火点が200℃以上250℃未満のものをいい、塗料類その他の物品であって、組成を勘案して総務省令で定めるものを除く。

17　**動植物油類**とは、動物の脂肉等または植物の種子もしくは果肉から抽出したものであって１気圧において引火点が250℃未満のものをいい、総務省令で定めるところにより貯蔵保管されているものを除く。

消防法に定める危険物は、固体と液体だけであり、気体は含まれない
プロパン、水素ガス等の気体は危険物ではない
これは頻出だ

3 別表の「性質欄」にある性状と性質

消防法別表の「性質欄」にある性状と共通する性質は、以下のとおり第１類から第６類までの６種に区分されている。

類　別	性　　　質
第１類	酸化性固体……それ自体は燃焼しないが、他の物質を強く酸化させる。
第２類	可燃性固体……火炎によって着火しやすいまたは比較的低温（40℃未満）で引火しやすい。
第３類	自然発火性物質および禁水性物質……空気にさらされると自然発火し、または水と接触すると発火したり可燃性ガスを発生したりする。
第４類	引火性液体……引火性のある液体。
第５類	自己反応性物質……加熱分解などによって比較的低い温度で多量の熱を発生し、または爆発的に反応が進行する。
第６類	酸化性液体……それ自体は燃焼しないが、混在する他の可燃物の燃焼を促進する。

「可燃性気体は危険物である」という選択肢は、もちろん×
消防法に定める危険物は、固体と液体だけ
上の表で「物質」とあるのは、固体または液体の状態ということ
可燃性気体は高圧ガス保安法で規制されており、消防法上の危険物ではないんだ

4 別表の「品名欄」にある品名

消防法別表の「品名欄」には、「共通する性質」に該当する具体的品名が記載(きさい)されている。

中でも、第４類の品名は、乙種第４類危険物取扱者の扱う物品であり、実際の試験もこれらを中心に実施されるので、最重要事項である。

第４類危険物の「品名」７区分

1　特殊引火物（ジエチルエーテルなど）
2　第１石油類（ガソリン、アセトンなど）
3　アルコール類（エチルアルコールなど）
4　第２石油類（灯油、軽油など）
5　第３石油類（重油、クレオソート油など）
6　第４石油類（ギヤー油、シリンダー油など）
7　動植物油類（ヤシ油、ニシン油など）

注意

◎危険物……消防法別表の「品名欄」に掲げられている品名そのものが全て危険物という意味ではない。各類はグループ名であり、その品名に該当する個々の物品が危険物に当たるということである。

5 危険物の判定

消防法上の危険物かどうかは、以下のような政令で定める試験によって判定される。

◆ 危険物判定の手順 ◆

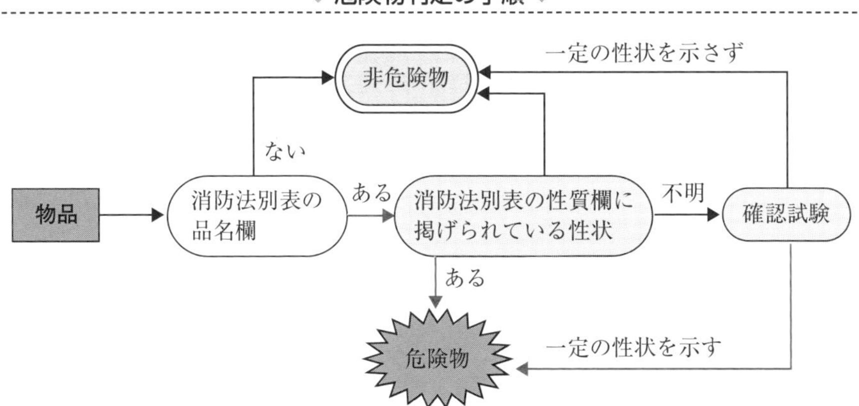

指定数量

1 指定数量の規定

指定数量とは、消防法において所定の施設で所定の基準に従って貯蔵・取扱いを行うよう定められた基準となる数量のことをいう。

また指定数量は、その物品の危険性が高ければ少なく、低ければ多くなっている。したがって、第4類危険物は特殊引火物から動植物油類まで、順にその危険度が低くなっていくことから、指定数量は反対に多くなっている。

第4類は液体なので指定数量の単位はℓだ他の類は全てkgとなっている

◆ 危険物の指定数量抜粋（危政令別表第3）◆

類　別	品　名	性　　質	指定数量
第4類	特殊引火物		50 ℓ
	第1石油類	非水溶性液体	200 ℓ
		水溶性液体	400 ℓ
	アルコール類		400 ℓ
	第2石油類	非水溶性液体	1,000 ℓ
		水溶性液体	2,000 ℓ
	第3石油類	非水溶性液体	2,000 ℓ
		水溶性液体	4,000 ℓ
	第4石油類		6,000 ℓ
	動植物油類		10,000 ℓ

2 指定数量の倍数

危険物の指定数量の倍数とは、実際に貯蔵・取り扱う数量をその物品の指定数量で割って得た数値のことをいう。

倍数の計算方法には、以下の2つの方法がある。

① 同一の場所での危険物1種類の貯蔵・取扱い

$$\frac{\text{貯蔵・取り扱う危険物の数量}}{\text{その危険物の指定数量}} = \textbf{倍数}$$

② 同一の場所での危険物2種類以上の貯蔵・取扱い

この場合は、物品ごとに倍数を計算し、その合計が1以上のときに、指定数量以上の危険物を貯蔵し、取り扱っていることになる。

$$\frac{\text{Aの数量}}{\text{Aの指定数量}} + \frac{\text{Bの数量}}{\text{Bの指定数量}} + \cdots\cdots = \textbf{倍数}$$

例えば、物品A、B、Cを扱っている場合
かりにA、B、Cの倍数が0.5、0.5、0.5でそれぞれ指定数量の1未満であっても、合計すれば1.5となるので、指定数量以上の危険物を貯蔵し、取り扱っていることになるわけだ

注意

◎水溶性液体……単に水に溶けるという意味ではない。消防法での規定は、次のとおりである。
①1気圧②温度20℃の条件下で、同容量の純水と穏やかにかき混ぜたときに、流動がおさまった後も、この混合液が均一の外観をなすもの。

◎非水溶性液体……これは、水溶性液体以外のものをいう。

◎指定数量の倍数……指定数量とは、そもそもそれ以上貯蔵したり取り扱ってはならないという数量ではない。ただ、基準数量内か基準数量超なのかによってその危険度が異なることから、適用する法令を決定するための基準でしかない。

3 数量で異なる危険物規制の法体系

危険物の法的規制は、貯蔵したり取り扱ったりする危険物の実際的な数量によって、以下の３つに分かれる。

① **指定数量以上の危険物**

指定数量以上の危険物の貯蔵・取扱いは、製造所・貯蔵所・取扱所（以降は「製造所等」という）以外の場所で行うことはできない。これは、**消防法**で規定されている。

また、その具体的な貯蔵・取扱い基準については、**消防法・政省令**等で細かく規定されている。

② **指定数量未満の危険物**

指定数量未満の危険物の貯蔵・取扱いは、消防法ではなく、それぞれの**市町村火災予防条例**でその基準が定められている。

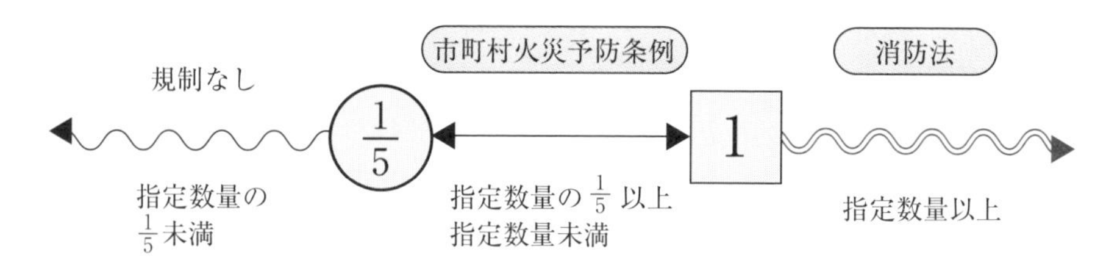

③ **危険物の運搬**

危険物の運搬に関しては、その量の多い少ないにかかわらず、**消防法等**の法的規制を受ける。

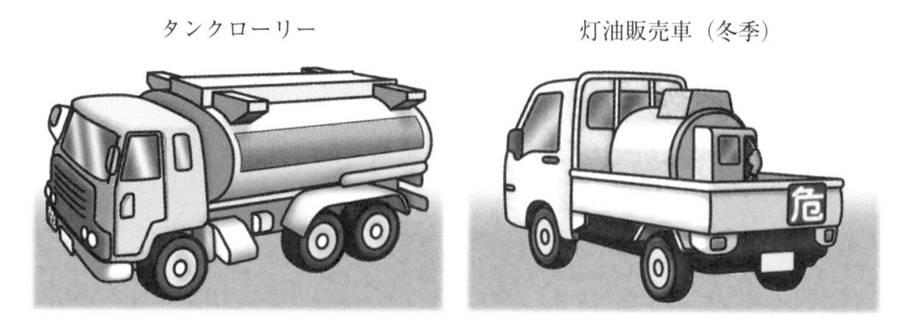

4 仮貯蔵・仮取扱いと適用除外

(1) 仮貯蔵・仮取扱い

指定数量以上の危険物は、製造所等以外の場所での貯蔵・取扱いはできないが、**消防長または消防署長**の承認があれば、10日以内の期間に限って、それ以外の場所での貯蔵・取扱いが許される。これを「仮貯蔵・仮取扱い」という。

具体的には、船で運んだ危険物を岸壁の倉庫に一時的に荷揚げする場合などがこれに当たる。

(2) 適用除外

航空機・船舶（せんぱく）・軌道による危険物の貯蔵・取扱い、または運搬については、その危険物が指定数量以上であっても消防法の適用は受けない。

なぜならば、これらの施設には特殊性があることから、それぞれ航空法・船舶安全法・鉄道営業法等の法律によって、別途安全確保のための措置（そち）がとられているからである。

●政令……内閣が制定。
例）危険物の規制に関する政令
●省令……省庁が制定。
例）危険物の規制に関する規則
●条例……地方公共団体が制定。

◎航空機・船舶等への給油……この場合には、消防法の適用を受ける。

危険物施設の区分

■ 製造所・貯蔵所・取扱所の 3 施設

指定数量以上の危険物を貯蔵・取り扱う施設は、①製造所②貯蔵所③取扱所の３つに区分され、さらに、その形態や設置場所によって以下の11種類（または12種類）に細分化されている。

◆ 危険物施設の区分 ◆

<table>
<tr><th colspan="3">危険物施設の区分</th><th colspan="2">施設の概要</th></tr>
<tr><td colspan="3">製造所</td><td colspan="2">危険物を製造する施設</td></tr>
<tr><td rowspan="7">貯蔵所</td><td colspan="2">屋内貯蔵所</td><td colspan="2">屋内の場所において危険物を貯蔵し、または取り扱う施設</td></tr>
<tr><td colspan="2">屋外タンク貯蔵所</td><td colspan="2">屋外にあるタンク（地下タンク、簡易タンク、移動タンク貯蔵所を除く）において危険物を貯蔵し、または取り扱う施設</td></tr>
<tr><td colspan="2">屋内タンク貯蔵所</td><td colspan="2">屋内にあるタンク（地下タンク、簡易タンク、移動タンク貯蔵所を除く）において危険物を貯蔵し、または取り扱う施設</td></tr>
<tr><td colspan="2">地下タンク貯蔵所</td><td colspan="2">地盤面下に埋没されているタンク（簡易タンク貯蔵所を除く）において危険物を貯蔵し、または取り扱う施設</td></tr>
<tr><td colspan="2">簡易タンク貯蔵所</td><td colspan="2">簡易タンクにおいて危険物を貯蔵し、または取り扱う施設</td></tr>
<tr><td colspan="2">移動タンク貯蔵所</td><td colspan="2">車両に固定されたタンクにおいて危険物を貯蔵し、または取り扱う施設</td></tr>
<tr><td colspan="2">屋外貯蔵所</td><td colspan="2">屋外の場所において（タンクを除く）第２類の危険物のうち硫黄または引火性固体（引火点が０℃以上または21℃未満）または第４類の危険物のうち第１石油類（引火点が０℃以上のもの）、アルコール類、第２石油類、第３石油類、第４石油類、動植物油類を貯蔵し、または取り扱う施設</td></tr>
<tr><td rowspan="5">取扱所</td><td colspan="2">給油取扱所</td><td colspan="2">固定した給油設備によって自動車等の燃料タンクに直接給油するため危険物を取り扱う施設（当該取扱所において、あわせて灯油を容器に詰め替え、または車両に固定された容量4,000ℓ以下のタンクに注入するため固定した注油設備によって危険物を取り扱う施設を含む）</td></tr>
<tr><td rowspan="2">販売取扱所</td><td colspan="2">第１種販売取扱所</td><td>店舗において容器入りのままで販売するため危険物を取り扱う取扱所で、指定数量の倍数が15以下のもの</td></tr>
<tr><td colspan="2">第２種販売取扱所</td><td>店舗において容器入りのままで販売するため危険物を取り扱う取扱所で、指定数量の倍数が15を超え40以下のもの</td></tr>
<tr><td colspan="2">移送取扱所</td><td colspan="2">配管およびポンプならびにこれらに付属する設備によって危険物の移送の取扱いを行う施設</td></tr>
<tr><td colspan="2">一般取扱所</td><td colspan="2">給油取扱所、販売取扱所、移送取扱所以外で危険物の取扱いをする施設</td></tr>
</table>

製造所

屋内貯蔵所

屋外タンク貯蔵所

屋内タンク貯蔵所

地下タンク貯蔵所

簡易タンク貯蔵所

移動タンク貯蔵所

屋外貯蔵所

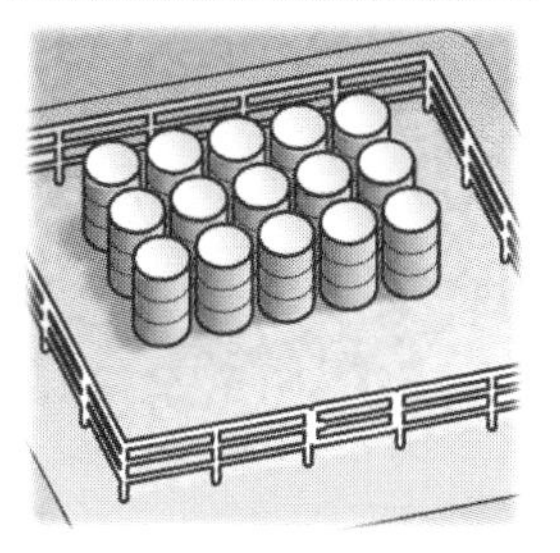

給油取扱所

注意

◎屋外貯蔵所で扱える危険物……第２類危険物のうち、硫黄、引火性固体または第４類危険物のうち、第１石油類もしくはアルコール類等を貯蔵し、または取扱う屋外貯蔵所について、位置・構造および設備の技術基準上の基準を超える特例が定められている。（危政令第16条第４項、危省令第24条の13、第33条第１項第５号、第34条第１項第４号）

2 製造所等の許認可と諸手続き

まとめ&丸暗記 ■ この節の学習内容と総まとめ

□ 製造所等の設置や変更等に対して許可を与える者は、市町村長、都道府県知事、総務大臣（市町村長等という）。

□ 申請から使用開始までの手順

①設置（変更）許可申請→②許可書交付→③工事着手→④完成検査前検査申請→⑤完成検査前検査実施、検査済証交付→⑥工事完了→⑦完成検査申請→⑧完成検査実施、完成検査済証交付→⑨使用開始

□ 施設の設置場所と許可権者

設置場所	許可権者
① 消防本部、消防署を設置している市町村の区域（移送取扱所を除く）	その区域の市町村長
② 消防本部、消防署を設置している1つの市町村のみに設置される移送取扱所	その区域の市町村長
③ 消防本部、消防署を設置していない市町村の区域（移送取扱所を除く）	その区域の都道府県知事
④ 消防本部、消防署を設置していない市町村の区域または2以上の市町村にまたがる移送取扱所	その区域の都道府県知事
⑤ 2以上の都道府県にまたがる移送取扱所	総務大臣

□ 各種申請手続き中、「仮貯蔵・仮取扱い」の申請先は、消防長または消防署長。他の手続き申請先は、すべて市町村長。

□ 各種届出手続き中、「危険物の品名・数量または指定数量の倍数の変更」は、変更しようとする日の10日前までに届け出る。他の届出は「遅滞なく」行う。

許可と許可権者

■ 施設の設置や変更・使用

製造所等を設置したり変更したりする場合には、**市町村長等**の許可を受けなければならない。

製造所等を設置し、実際に使用を開始するまでの手順は、おおむね次のとおりである。

補足

■容量が指定数量未満の場合……完成検査前検査の対象から除外される。

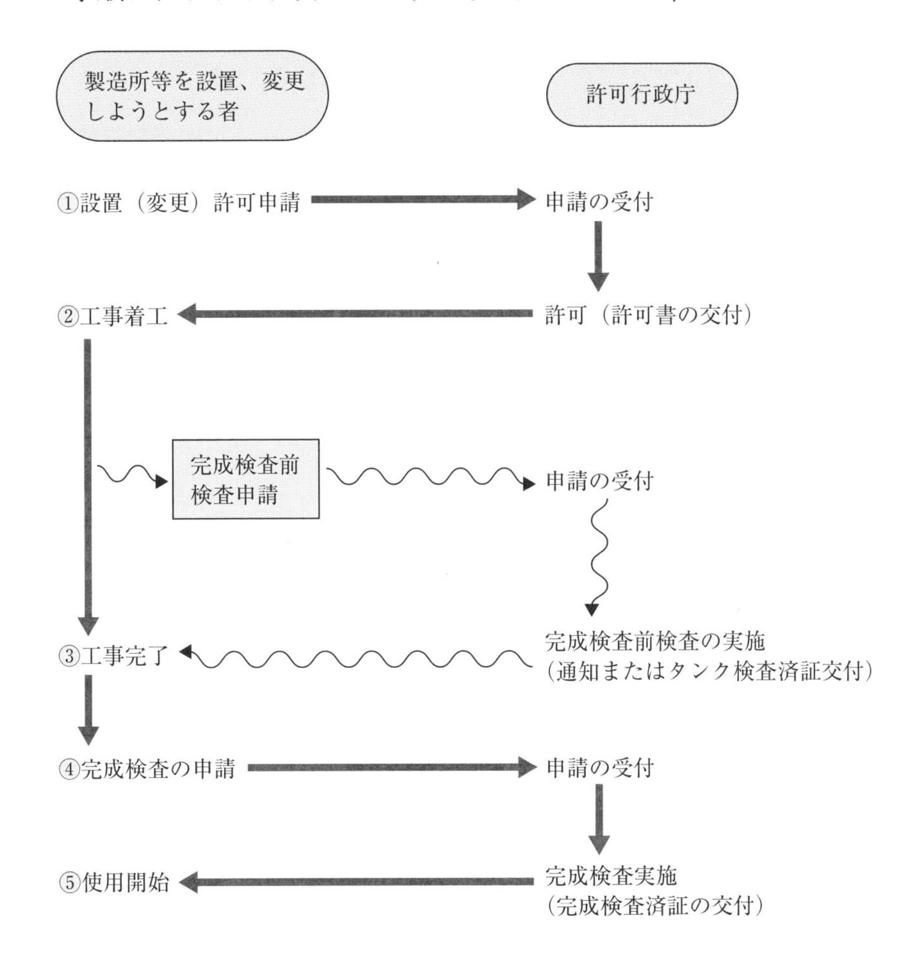

また、危険物取扱い施設の設置場所とその許可権者は、以下のとおりである。

設置場所	受付者・許可権者
①消防本部、消防署を設置している市町村の区域（移送取扱所を除く） ②消防本部、消防署を設置している１つの市町村のみに設置される移送取扱所	その区域の市町村長
③消防本部、消防署を設置していない市町村の区域（移送取扱所を除く） ④消防本部、消防署を設置していない市町村の区域または２以上の市町村にまたがる移送取扱所	その区域の都道府県知事
⑤２以上の都道府県にまたがる移送取扱所	総務大臣

①②の場合

③④の場合

⑤の場合
（２以上の都道府県）

完成検査等

1 完成検査の申請

製造所等の設置・変更等の許可を受けた者は、工事が完了した時点で**市町村長等**に対し、完成検査の申請をしなければならない。

そして、市町村長等が行う完成検査を受け、これらが技術上の基準に適合していると認められて「完成検査済証」が交付された後でなければ、当該施設を使用してはならない。

2 仮使用承認申請

すでに完成検査を受けて使用している製造所等の施設の一部を変更する場合、**市町村長等**の承認を受けたときには、変更工事に係る部分以外の部分をこれまでどおりそのまま使用することができる。これを仮使用という。

3 完成検査前検査

液体の危険物を貯蔵し、または取り扱うタンクを設置または変更する場合は、製造所等全体の完成検査を受ける前に、完成検査前検査を受けなければならない。

ただし、その容量が**指定数量未満のタンク**については、完成検査前検査の対象から**除外**される。そして、除外された対象タンクは、完成検査のときに適合性が判断されることになる。

●仮使用……施設等の一部を変更する場合、変更の許可を受けて着工し、その工事完了後に完成検査を受けて検査済証が交付されるまで、原則として施設全体が使用できなくなる。
しかし、それでは営業自体が不可能になってしまうことから、仮使用の申請を行って承認を受けた場合に限って、変更工事に係らない部分の使用を認める措置である。

◎完成検査前検査は「タンクがある場合」と覚えておこう。

完成検査前検査には、次の３種類があるよ
①水張検査・水圧検査
②基礎・地盤検査
③溶接部検査

各種届出等

1 各種申請手続き

各種申請手続きの内容と申請先は、以下のとおりである。

◆ 申請手続きの内容および申請先等 ◆

<table>
<tr><th>手続</th><th colspan="2">項目</th><th>内容</th><th>申請先</th></tr>
<tr><td rowspan="2">許可</td><td colspan="2">設置</td><td>製造所等を設置する場合</td><td rowspan="2">市町村長等</td></tr>
<tr><td colspan="2">変更</td><td>製造所等の位置、構造または設備を変更する場合</td></tr>
<tr><td rowspan="2">承認</td><td colspan="2">仮貯蔵・仮取扱い</td><td>指定数量以上の危険物を、10日以内の期間、仮に貯蔵し、または取り扱う場合</td><td>消防長または消防署長</td></tr>
<tr><td colspan="2">仮使用</td><td>変更工事に係る部分以外の部分の全部または一部を仮に使用する場合</td><td>市町村長等</td></tr>
<tr><td rowspan="6">検査</td><td rowspan="3">完成検査前</td><td>タンク本体</td><td>液体危険物タンクについて水圧または水張検査を受けようとする場合</td><td rowspan="3">市町村長等</td></tr>
<tr><td>基礎地盤</td><td rowspan="2">1,000kℓ以上の屋外タンク貯蔵所において基礎・地盤検査、溶接部の検査を受けようとする場合</td></tr>
<tr><td>溶接部</td></tr>
<tr><td colspan="2">完成</td><td>設置または変更の許可を受けた製造所等が完成した場合</td><td>市町村長等</td></tr>
<tr><td rowspan="2">保安</td><td>定期</td><td>10,000kℓ以上の屋外タンク貯蔵所、特定移送取扱所にあって保安検査を受けようとする場合</td><td>市町村長等</td></tr>
<tr><td>臨時</td><td>1,000kℓ以上の屋外タンク貯蔵所、特定移送取扱所にあって、不等沈下等の事由が発生して保安検査を受けようとする場合</td><td>市町村長等</td></tr>
<tr><td rowspan="2">認可</td><td rowspan="2">予防規程</td><td>作成</td><td rowspan="2">法令に指定された製造所等において、予防規程を作成または変更する場合</td><td rowspan="2">市町村長等</td></tr>
<tr><td>変更</td></tr>
</table>

2 各種届出手続き

各種届出手続きの内容と届出先は、以下のとおりである。

◆ 届出項目とその内容等 ◆

届出項目	内　容	届出先
製造所等の譲渡または引渡	製造所等の譲渡または引渡があった時は、譲受人または引渡を受けた者は許可を受けた者の地位を継承し、遅滞なく届け出なければならない。	
危険物の品名・数量または指定数量の倍数の変更	製造所等の位置、構造、設備を変更しないで、貯蔵または取り扱う危険物の品名、数量または指定数量の倍数を変更しようとする者は、変更しようとする日の10日前までに届け出なければならない。	
製造所等の廃止	製造所等の用途を廃止した場合、当該施設の所有者、管理者または占有者は遅滞なく届け出なければならない。	市町村長等
危険物保安統括管理者の選任・解任	同一事業所において特定の製造所等を所有し、管理し、または占有する者は危険物保安統括管理者を定め遅滞なく届け出なければならない。これを解任したときも同様とする。	
危険物保安監督者の選任・解任	特定の製造所等の所有者、管理者または占有者は危険物保安監督者を定めた場合は遅滞なく届け出なければならない。これを解任したときも同様とする。	

許可や認可を必要としないで、届出だけですむものは、防災上の影響が比較的少ないのだよ

「遅滞なく」なのか「10日前」までなのか、よく出題されるよ

補足

■**届出**……定められた届け出先に、定められた期間内に届け出れば、行政庁の回答を得る必要はない。

3 危険物取扱者制度

まとめ&丸暗記 この節の学習内容と総まとめ

- □ 危険物取扱者の免状には、甲種・乙種・丙種の3種ある。
- □ 製造所等の危険物の取扱いは、危険物取扱者が行う。または甲種危険物取扱者あるいは乙種危険物取扱者の立会いのもとで行う。
- □ 丙種危険物取扱者は、立会いは行えない。
- □ 免状の種類と取り扱える危険物

免状の種類	取扱作業	立会い
甲　種	全類（第1～第6類）	全　類
乙　種	免状に記載されている類	免状に記載されている類
丙　種	指定された危険物	×

- □ 免状の交付者は、都道府県知事。
- □ 免状の書換えは、当該免状を交付した都道府県知事または勤務地を管轄する都道府県知事に申請する。
- □ 免状の再交付は、免状の交付または書換えを行った都道府県知事に申請する。
- □ 製造所等において危険物の取扱作業に従事している危険物取扱者は、都道府県が行う保安講習を3年以内に受講しなければならない。
- □ 危険物保安統括管理者……事業所全般における危険物の保安に関する業務を統括管理する。
- □ 危険物保安監督者……危険物施設での危険物の保安監督をする。
- □ 危険物施設保安員……施設の構造・設備の保安業務を補佐する。

危険物取扱者

1 意義と責務

製造所等における危険物の取扱作業の安全を確保するために、危険物を取り扱うことのできる者を有資格者に限定し、**人的な面から規制**することを目的に設けられたのが危険物取扱者制度である。

危険物の取扱いは危険物取扱者が行い、それ以外の者が取扱作業を行う場合には、甲種または乙種の資格を持つ危険物取扱者が立ち会わなければならない。

また、その**責務**としては、以下の２つがある。

① 危険物取扱者は、危険物の取扱作業に従事するときは、法令で定められる危険物の**貯蔵・取扱いの技術上の基準を遵守**(じゅんしゅ)し、危険物の安全の確保について細心の注意を払わなければならない。

② 甲種または乙種危険物取扱者は、危険物取扱作業の**立会い**を行う場合、実際に取扱作業に従事する者に対して、上記①を遵守するよう監督し、必要に応じて指示を与えなければならない。

有資格者でなくとも危険物取扱作業に従事することができるが、その際は、有資格者の立会いが絶対条件ということだ

補足

■安全確保の体制……危険物取扱者制度では、危険物を取り扱う者を有資格者に限定しているが、これを人的規制という。
また、危険物取扱者には、危険物の貯蔵・取扱いの技術上の基準を遵守する責務があるが、これは施設という物的面からの基準であり、これを物的規制という。

取り扱う危険物が指定数量未満でも立会いなしに資格のない者が扱うことはできないぞ

2 免状の区分

危険物取扱者試験に合格して、免状の交付を受けた者が危険物取扱者である。その免状は**甲種・乙種・丙(へい)種の3種類**に区分されている。そして、それぞれの危険物取扱者が取り扱うことのできる危険物は、以下のとおりである。

◆ 免状の種類と取り扱える危険物 ◆

免状の種類	取扱作業	立会い
甲　種	全　類	全　類
乙　種	免状に記載されている類	免状に記載されている類
丙　種	ガソリン、灯油、軽油、第3石油類（重油、潤滑油及び引火点が130℃以上のもの）、第4石油類及び動植物油類	×

それぞれの免状の種類は次のようになるぞ
甲種は全類を扱えるので、1種類。
乙種は第1類から第6類まであるので、6種類
丙種は第4類のうち、指定された危険物だけの1種類

丙種は「取扱作業の立会いはできない」は頻出
一方で、定期点検の立会いは甲種・乙種・丙種ともできることに注意しよう

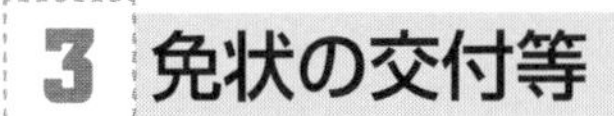

3 免状の交付等

危険物取扱者の免状は、**都道府県知事**が交付する。免状の交付を受ける場合は、危険物取扱者試験の合格を証明する書類を交付申請書に添付し、試験を行った場所を管轄(かんかつ)する都道府県知事に申請しなければならない。

◆ 免状の交付等の手続き等 ◆

手続	内　容
交付	危険物取扱者免状は、危険物取扱者試験に合格した者に対し、都道府県知事が交付する。
	免状の交付を受ける場合は、申請書に試験に合格したことを証明する書類を添えて当該試験を行った場所を管轄する都道府県知事に申請しなければならない。
書換え	免状の書換えは、免状に記載されている氏名、本籍地、生年月日が変わった時または免状に貼付されている写真が撮影から10年を経過した時は、書換えの事由を証明する書類等（戸籍抄本等）を添えて、当該免状を交付した都道府県知事または、居住地もしくは勤務地を管轄する都道府県知事に申請しなければならない。
再交付	免状の再交付とは、免状を亡失、滅失、汚損、破損等の場合に再び交付を求めることで、免状の交付または書換えをした都道府県知事でないと申請できない。
	免状の汚損または破損により再交付申請をする場合は、申請書に当該汚損、破損の免状を添えて提出しなければならない。
	免状を亡失して再交付を受けた者は、亡失した免状を発見した場合は、10日以内に再交付を受けた都道府県知事に亡失した免状を提出しなければならない。

4 免状の不交付と返納

都道府県知事は、危険物取扱者試験に合格した者であっても、次の場合には、免状の交付を行わないことができる。

① 都道府県知事から免状の返納を命じられ、その日から起算して1年を経過しない者。

② 消防法または消防法に基づく命令の規定に違反して罰金刑に処せられた者で、その執行（しっこう）が終わり、または執行を受けることがなくなった日から起算して2年を経過しない者。

また、免状を交付した都道府県知事は、危険物取扱者が消防法令に違反しているときは、免状の返納を命ずることができる。

●危険物取扱者試験の受験地……必ずしも住民票のある居住地の都道府県である必要はなく、申請すれば希望する都道府県で受験できる。

◎免状の書換えについて「撮影から10年」を「撮影から15年」などと変えた問題が出題されている。

免状に関する事項は、すべて都道府県知事が行う
「市町村長等」とする出題があるが、もちろん×だ

●免状返納命令違反……20万円以下の罰金、または拘留に処せられる。

5 保安講習

製造所等において危険物の取扱作業に従事している危険物取扱者は、都道府県知事が行う保安に関する講習を前回の受講後最初の４月１日から**3年以内に受講**しなければならない。

また、危険物の取扱作業に従事していなかった者が、その後新たに同作業に従事することになった場合は、従事することとなったその日から**1年以内に受講**しなければならない。

ただし、従事することとなった日から起算して過去２年以内に危険物取扱者免状の交付を受けている場合または講習を受けている場合は、免状交付後またはその受講後最初の４月１日から**3年以内に受講**すればよい。

◆ 保安講習サイクル ◆

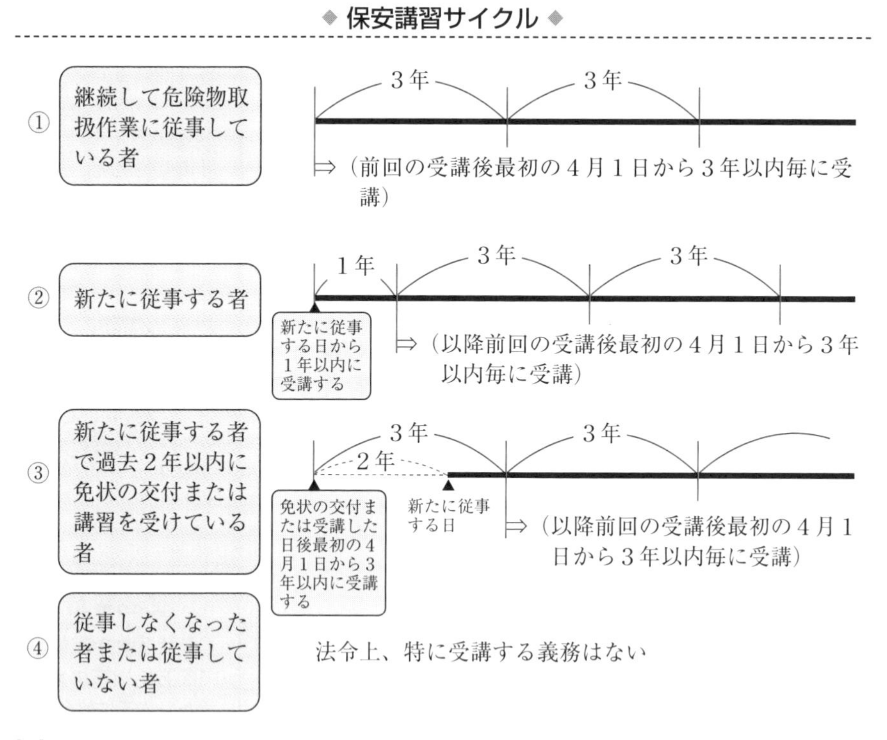

①
継続して危険物取扱作業に従事している者
３年
３年
⇨（前回の受講後最初の４月１日から３年以内毎に受講）
②
新たに従事する者
１年
３年
３年
新たに従事する日から１年以内に受講する
⇨（以降前回の受講後最初の４月１日から３年以内毎に受講）
③
新たに従事する者で過去２年以内に免状の交付または講習を受けている者
３年
３年
２年
免状の交付または受講した日後最初の４月１日から３年以内に受講する
新たに従事する日
⇨（以降前回の受講後最初の４月１日から３年以内毎に受講）
④
従事しなくなった者または従事していない者
法令上、特に受講する義務はない

【注】◎危険物の取扱作業に従事しなくなった者、または従事していない者は、受講の義務はない。
◎保安講習の受講は、全国どこの都道府県でも可能。

その他の危険物取扱い関係者

1 危険物保安統括管理者

大量の第4類の危険物を取り扱う事業所については、事業所全般における危険物の保安に関する業務を統括管理する者として、危険物保安統括管理者を定める。選任・解任は製造所等の所有者・管理者・占有者が行う。選任・解任は遅滞なく**市町村長等**に届け出ることが義務づけられている。

① **資格**

資格はとくになし。ただし、その責務が事業所における製造所等の保安に関する業務一切を統括管理することから、その事業所の事業に関して統括管理する者を充(あ)てなければならない。

② **選任を必要とする事業所**

危険物保安統括管理者の選任が必要な事業所は、以下のとおりである。

◆ 対象となる製造所等 ◆

対象となる製造所等	取り扱う第4類の危険物の数量
製造所	指定数量の3,000倍以上
一般取扱所	指定数量の3,000倍以上
移送取扱所	指定数量以上

③ **解任命令**

市町村長等は、危険物保安統括管理者が以下のような場合には、製造所等の所有者・管理者、または占有者に対して、危険物保安統括管理者の解任を命ずることができる。

補足

■**危険物保安統括管理者の存在意義**……次ページ以降に出てくる危険物保安監督者、危険物施設保安員等は、個々の製造所ごとに規定されていることから、同一の事業所で複数の製造所等が存在する場合には、効果的な保安管理の体制がとりがたい。
これらのことから、事業所全体を統括管理し、安全確保を実現するために制度化されたものである。

補足

■**危険物保安統括管理者の選任対象**……以下はその主な例外施設である。
①容器に危険物を詰め替える一般取扱所
②特定移送取扱所以外の移送取扱所
③特定移送取扱所のうち、危険物を移送するための配管の延長のうち、海域に設置される部分以外に係る配管の延長が7km未満のもの

ⓐ　消防法あるいは消防法に基づく命令に違反したとき

ⓑ　その業務を行わせることが、公共の安全の維持もしくは災害の発生防止に支障をきたすおそれがあると認めたとき

2 危険物保安監督者

危険度の高い危険物施設では、各施設ごとに危険物の保安を監督する**危険物保安監督者**を選任しなければならない。したがって、対象施設の所有者・管理者・占有者は、危険物保安監督者を選任し、遅滞(ちたい)なく**市町村長等**に届け出ることが義務づけられている。

また、これを解任したときも同様である。

◆ 保安監督者選任対象施設(○印が対象) ◆

危険物の種類	引火性の危険物(第４類の危険物)				引火性以外の危険物(第４類以外の危険物)	
貯蔵・取り扱う危険物の数量	指定数量の30倍以下		指定数量の30倍を超えるもの		指定数量の30倍以下	指定数量の30倍を超えるもの
貯蔵・取り扱う危険物の引火点 / 製造所等の区分	40℃以上のみ	40℃未満	40℃以上のみ	40℃未満		
製造所	すべて必要					
屋内貯蔵所		○	○	○	○	○
屋外タンク貯蔵所	すべて必要					
屋内タンク貯蔵所		○		○	○	○
地下タンク貯蔵所		○	○	○	○	○
簡易タンク貯蔵所		○		○	○	○
移動タンク貯蔵所	不必要					
屋外貯蔵所			○	○		○
給油取扱所	○	○	○	○	／	／
第１種販売取扱所		○	／	／	○	／
第２種販売取扱所		○		○	○	○
移送取扱所	すべて必要					
一般取扱所 ボイラー等消費・容器詰替のもの		○	○	○	○	○
一般取扱所 上記以外のもの	すべて必要					

保安監督者の選任対象施設では
①不必要な「移動タンク貯蔵所」
②全て必要な施設
この2つを覚えておけば試験は万全だろう

移動タンク貯蔵所とはタンクローリーのことさ
自動車だから、運転手に任せる以外方法はないから、対象外なのは分かるだろう

① 資格

製造所等において6カ月以上危険物取扱いの実務経験を持ち、甲種危険物取扱者または乙種危険物取扱者（取得済みの類のみ）に限られる。

② 責務と業務内容

危険物保安監督者は、危険物の取扱作業に関して誠実にその職務を遂行しなければならない。

また、その**主な業務**としては、以下が挙げられる。

ⓐ 作業者に対して、貯蔵または取扱いに関する技術上の基準、予防規程等に定める保安基準に適合するように必要な指示を与える。

ⓑ 火災等災害発生時に作業者を指揮して応急措置を講ずることおよび消防機関への連絡。

●資格としての実務経験……実務経験は、免状取得前の取扱い歴も加算できる。

◎危険物保安統括管理者・危険物保安監督者・危険物施設保安員の選任者がよく問われるので注意。選任するのは、製造所等の所有者・管理者・占有者である。

ⓒ　危険物施設保安員を置く製造所等にあっては、必要な指示をし、置かない施設にあっては、以下の業務を行わなければならない。

・構造、設備の技術上の基準に適合するように維持するために、施設の定期および臨時の点検の実施、記録および保存。

・施設の異常を発見した場合の連絡および適当な措置(そち)をとる。

・火災の発生またはその危険が著しいときの応急措置。

・計測装置、制御装置、安全装置等の機能保持のための保安管理。

・その他施設の保安に関し、必要な業務。

ⓓ　火災等の災害防止のため、隣接製造所等その他関連する施設の関係者との連絡を保つ。

ⓔ　その他、危険物取扱作業の保安に関し必要な監督業務。

③　**解任命令**

市町村長等は、製造所等の所有者、管理者または占有者に対して、以下の場合には危険物保安監督者の解任を命ずることができる。

ⓐ　消防法あるいは消防法に基づく命令に違反したとき

ⓑ　その業務を行わせることが公共の安全の維持もしくは災害の発生防止に支障をきたすおそれがあると認めたとき

3 危険物施設保安員

一定の製造所等で、危険物保安監督者の下、施設の構造・設備に関する保安業務を補佐するのが危険物施設保安員であり、製造所等の所有者・管理者・占有者は、これを選任する義務がある。

ただし、市町村長等に選任や解任の**届出は不要**である。

① 資格

とくに資格は不要だが、業務の内容からしてその施設の構造・設備に精通している者が適任となる。

② 選任対象施設

ⓐ 取り扱う危険物の数量が、指定数量の100倍以上の製造所と一般取扱所

ⓑ すべての移送取扱所

補足

■危険物施設保安員の業務

①施設維持のための定期点検の実施・記録および保存

②施設の異常発見時の危険物保安監督者への連絡と適当な措置

③火災発生やその危険性が著しいとき、危険物保安監督者と協力した応急措置

④計測装置・制御装置・安全装置等の機能の保持管理

⑤その他、施設の構造・設備の保安に関する必要業務

4 危険物施設の予防と保安

まとめ＆丸暗記　この節の学習内容と総まとめ

□　予防規程……個々の製造所等の実情に合わせて、自主的に制定する保安基準である。

□　予防規程制度の対象施設

①製造所②屋内貯蔵所③屋外タンク貯蔵所④屋外貯蔵所
⑤給油取扱所⑥移送取扱所⑦一般取扱所

□　定期点検……すべての製造所等の所有者、管理者または占有者は、その位置・構造および設備の技術上の基準に適合しているかどうかをチェックする義務がある。

□　定期点検の対象施設

①製造所②屋内貯蔵所③屋外タンク貯蔵所④屋外貯蔵所
⑤地下タンク貯蔵所⑥移動タンク貯蔵所⑦給油取扱所
⑧移送取扱所⑨一般取扱所

□　定期点検の時期

①地下貯蔵タンクの漏れ……１年以内に１回以上
②二重殻タンク強化プラスチック製の外殻の漏れ……３年以内に１回以上
③地下埋設配管の漏れ……１年以内に１回以上
④移動貯蔵タンクの漏れ……５年以内に１回以上

□　点検記録の保存年限……原則として３年間

□　定期保安検査と臨時保安検査……屋外タンク貯蔵所と移送取扱所の２施設は、市町村長等が行う定期保安検査と臨時保安検査を受ける。

予防規程

1 意義と手続き

予防規程は、個々の製造所等の実情に合わせ自主的に制定する保安基準である。防災上の見地から製造所等の所有者、管理者または占有者が作成し、従業者等が遵守（じゅんしゅ）しなければならない**自主保安に関する規程**である。

予防規程を定めたときまたは変更するときは、**市町村長等の認可を受けることが義務づけられている**。また、市町村長等は予防規程が危険物の貯蔵・取扱いの技術上の基準に適合しておらず、その他火災の予防のために不適切と認めるときは認可をせず、火災の予防のために必要があるときは予防規程の**変更を命ずる**ことができる。

2 対象施設

予防規程を定めるべき対象施設は、以下のとおりである。

◆ 予防規程制定の対象となる製造所等 ◆

対象となる製造所等	貯蔵し、または取り扱う危険物の数量等
製造所	指定数量の倍数が10以上
屋内貯蔵所	指定数量の倍数が150以上
屋外タンク貯蔵所	指定数量の倍数が200以上
屋外貯蔵所	指定数量の倍数が100以上
給油取扱所	全て定める
移送取扱所	全て定める
一般取扱所	指定数量の倍数が10以上

（備考）次の危険物施設は除く
- ○ 鉱山保安法第10条第１項の規定による保安規程を定めている製造所等
- ○ 火薬類取締法第28条第１項の規定による危害予防規程を定めている製造所等
- ○ 自家用給油取扱所のうち屋内給油取扱所以外のもの
- ○ 指定数量の倍数が30以下で、かつ、引火点が40℃以上の第４類の危険物のみを容器に詰め替える一般取扱所

補足

■予防規程の主な内容
1. ①保安業務を管理する者の職務と組織
2. ②危険物保安監督者不在のときの職務代行者
3. ③化学消防自動車の設置と自衛消防組織
4. ④保安作業従事者に対する保安教育
5. ⑤危険物の取扱作業の基準
6. ⑥補修等の方法
7. ⑦移送取扱所の配管工事の現場責任者の条件と保安監督体制。
8. ⑧危険物の保安に関する記録
9. ⑨製造所等の位置・構造・設備の、書類・図類の整備
10. ⑩その他

注意

◎「予防規程に定める必要のない事項」を問う問題がよく出る。

「予防規程は、製造所等の危険物保安監督者が定めなければならない」といった問題がよく出るけど、もちろん×
予防規程を定めるのは製造所等の所有者・管理者・占有者だよ

定期点検

1 定期点検の意義

すべての製造所等の所有者、管理者または占有者は、その位置、構造および設備の技術上の基準に適合しているかどうかをチェックしなければならない。

このため、一定の製造所等の所有者等は、定期に点検し、その点検記録を作成し、一定の期間これを保存することが義務づけられている。

2 実施対象施設

定期点検を実施しなければならない対象施設は、以下のとおりである。

◆ 定期点検の対象となる製造所等 ◆

対象となる製造所等	貯蔵し、または取り扱う危険物の数量等
製造所	指定数量の倍数が10以上及び地下タンクを有するもの
屋内貯蔵所	指定数量の倍数が150以上
屋外タンク貯蔵所	指定数量の倍数が200以上
屋外貯蔵所	指定数量の倍数が100以上
地下タンク貯蔵所	すべて実施する
移動タンク貯蔵所	すべて実施する
給油取扱所	地下タンクを有するもの
移送取扱所	すべて実施する
一般取扱所	指定数量の倍数が10以上及び地下タンクを有するもの

（備考）次の危険物施設は除く
- ○ 鉱山保安法第10条第１項の規定による保安規程を定めている製造所等
- ○ 火薬類取締法第28条第１項の規定による危害予防規程を定めている製造所等
- ○ 移送取扱所のうち、配管の延長が15kmを超えるものまたは配管に係る最大常用圧力が0.95MPa以上で、かつ、配管の延長が７km以上15km以下のもの
- ○ 指定数量の倍数が30以下で、かつ、引火点が40℃以上の第４類の危険物のみを容器に詰め替える一般取扱所

3 点検事項等と実施者

点検内容は、製造所等の位置、構造および設備が技術上の基準に適合しているかどうかである。

そして、点検を実際に行う者は、**危険物取扱者**または**危険物施設保安員**でなければならない。ただし、危険物取扱者の立会いがあれば、危険物取扱者以外の者でも点検を行うことができる。

危険物施設保安員は点検の立会いはできない。

甲種・乙種・丙種
いずれの危険物取扱者も点検・
立会いを実施できる
これもよく試験で問われるよ

4 点検時期と記録の保存年限

【点検時期】

点検は１年に１回以上行わなければならない。ただし、地下貯蔵タンク、二重殻(にじゅうかく)タンクの強化プラスチック製の外殻、地下埋設配管および移動貯蔵タンクの漏れの点検については、以下の期間内に行わなければならない。

① 地下貯蔵タンクの漏れの点検……１年以内に１回以上

●定期点検の対象とならない施設
①屋内タンク貯蔵所
②簡易タンク貯蔵所
③販売取扱所

補足

■**市町村長等の命令**
……市町村長等は、製造所等が基準に適合していないと認めるときは、施設の所有者・管理者または占有者でその「権原」のある者に対して、修理・改造あるいは移転を命じることができる。

◎点検実施者……危険物施設保安員は、定期点検・臨時点検を実施できるが、立会いはできない。

「指定数量に関わらずすべて定期点検を実施する」製造所等は頻出だ

② 二重殻タンクの強化プラスチック製の外殻の漏れの点検…… 3 年以内に 1 回以上

③ 地下埋設配管の漏れの点検…… 1 年以内に 1 回以上

④ 移動貯蔵タンクの漏れの点検…… 5 年以内に 1 回以上

上記①と③の漏れの点検時期は、一定の条件を満たす場合には、3年に1回以上でよいことになっている

点検記録事項に関して、
「市町村長等に点検結果を報告した年月日」といった問題がよく出る
もちろん、×だ
点検結果を市町村長等に報告する義務はないからね

【点検記録の保存年限】

① 原則として 3 年間

② 移動貯蔵タンクの水圧試験に係る記録は10年間

③ 屋外タンク貯蔵所（1,000kℓ 以上10,000kℓ 未満のもの）の内部点検記録は、点検周期の 2 倍（26～30年）

【点検記録事項】

点検記録には、次の事項を記載しなければならない。

① 点検を行った製造所等の名称

② 点検の方法および結果

③ 点検年月日

④ 点検を行った危険物取扱者もしくは危険物施設保安員または点検に立ち会った危険物取扱者の氏名

保安検査

■ 定期保安検査と臨時保安検査

屋外タンク貯蔵所と移送取扱所の2施設には、市町村長等が行う定期保安検査と臨時保安検査を受ける義務がある。

●保安検査の義務違反……市町村長等が行う保安検査の義務を怠ると、許可取消しや使用停止命令の処分を受けることがある。

◆ 保安検査の内容と対象施設 ◆

項目＼対象施設	定期保安検査		臨時保安検査
	屋外タンク貯蔵所	移送取扱所	屋外タンク貯蔵所
検査対象	・容量10,000kℓ 以上のもの	①配管の延長が15kmを超えるもの ②配管の最大常用圧力が0.95MPa以上でかつ延長が7～15km以下のもの	・容量1,000kℓ 以上のもの
検査時期・事由	①原則として8年に1回 ②岩盤タンクは原則として10年に1回	・原則として1年に1回	①1/100以上の不等沈下発生 ②岩盤タンク及び地中タンクにあっては、危険物又は可燃性蒸気の漏えいのおそれがあること等
検査事項	①タンク底部の板厚及び溶接部 ②岩盤タンクの構造及び設備	・移送取扱所の構造及び設備	・タンク底部の板厚及び溶接部、岩盤タンクの構造及び設備

例題1 難 中 易

消防法に定める危険物の説明として、正しいものを1つ選びなさい。

(1) 類が増すごとに危険性が高くなる。
(2) 甲種・乙種・丙種危険物がある。
(3) 危険物とは、「消防法別表」の品名欄に掲げる物品で、同表に定める区分に応じ、同表の性質欄に掲げる性状を有するものをいう。

解答1 ▶ (3)

解説 (5)の「火薬取締法」に定められている火薬類の中には、「消防法」に定める危険物と共通するものもあるが、ごく一部である。

(4) 危険物は、第1類から第5類まで5種類に分類されている。

(5) 危険物とは、主として「火薬類取締法」に定める火薬類と同じである。

例題2

難 中 易

消防法に定める危険物に該当するものはどれか。正しいものを1つ選びなさい。

(1) 塩　酸　　(2) 一酸化炭素

(3) 二酸化炭素　　(4) プロパンガス

(5) 硫　黄

解答2 ▶ (5)

解説　(5)以外は、「消防法別表」に掲げられてはいない。

例題3

消防法「別表備考」の規定として、誤っているものはどれか。1つ選びなさい。

(1) 特殊引火物とは、ジエチルエーテル、二硫化炭素その他1気圧において発火点が100℃以下のもの、または引火点が−20℃以下で沸点が40℃以下のものをいう。

(2) 第1石油類とは、アセトン、ガソリンその他1気圧において引火点が21℃未満のものをいう。

(3) 第2石油類とは、灯油、アルコールその他1気圧において引火点が21℃以上70℃未満のものをいう。

(4) 第3石油類とは、重油、クレオソート油その他1気圧において引火点が70℃以上200℃未満のものをいう。

(5) 第4石油類とは、ギヤー油、シリンダー油その他1気圧において引火点が200℃以上250℃未満のものをいう。

解答3 ▶ (3)

解説　「消防法別表」に規定されている第2石油類とは、①灯油②軽油③その他（1気圧において引火点が21℃以上70℃未満のもの。ただし、塗料類その他の物品で総務省令で定めるものを除く）

例題4 難 中 易

第4類危険物の指定数量の説明として、誤っているものはどれか。1つ選びなさい。

(1) 特殊引火物と第1石油類の指定数量は、同一である。

(2) 第1石油類の水溶性物品とアルコール類の指定数量は、同一である。

(3) 第1石油類、第2石油類および第3石油類は、水溶性と非水溶性物品とでは、指定数量が異なる。

(4) 第2石油類の水溶性物品と第3石油類の非水溶性物品の指定数量は、同一である。

(5) 第4石油類と動植物油類とでは、指定数量が異なる。

解答4 ▶ (1)

解説　特殊引火物の指定数量は50ℓである。第1石油類の指定数量は非水溶性液体が200ℓ。水溶性液体が400ℓである。

例題5 難 中 易

それぞれ異なる危険物A、B、Cを同一の場所で貯蔵する場合、指定数量の倍数の計算式として、正しいものを1つ選びなさい。

(1) $\dfrac{\text{Aの貯蔵量}+\text{Bの貯蔵量}+\text{Cの貯蔵量}}{\text{Aの指定数量}+\text{Bの指定数量}+\text{Cの指定数量}}$

(2) $\dfrac{\text{Aの指定数量}}{\text{Aの貯蔵量}}+\dfrac{\text{Bの指定数量}}{\text{Bの貯蔵量}}+\dfrac{\text{Cの指定数量}}{\text{Cの貯蔵量}}$

(3) $\dfrac{\text{Aの貯蔵量}}{\text{Aの指定数量}}+\dfrac{\text{Bの貯蔵量}}{\text{Bの指定数量}}+\dfrac{\text{Cの貯蔵量}}{\text{Cの指定数量}}$

(4) $\dfrac{\text{Aの貯蔵量}}{\text{Aの指定数量}}\times\dfrac{\text{Bの貯蔵量}}{\text{Bの指定数量}}\times\dfrac{\text{Cの貯蔵量}}{\text{Cの指定数量}}$

(5) $\dfrac{\text{Aの貯蔵量}+\text{Bの貯蔵量}+\text{Cの貯蔵量}}{\text{Aの指定数量}\times\text{Bの指定数量}\times\text{Cの指定数量}}$

解答5 ▶ (3)

解説　指定数量の倍数計算の基本は、「貯蔵量÷貯蔵する危険物の指定数量」である。複数の異なる危険物を同一場所で貯蔵する場合は、それぞれの倍数の合計となる。

5 製造所等の位置・構造・設備基準

まとめ&丸暗記　この節の学習内容と総まとめ

□　製造所からの保安距離

①　同一敷地外にある住居……10m以上

②　多数の人を収容する施設（学校・病院・劇場等）……30m以上

③　重要文化財・史跡等……50m以上

④　高圧ガス・液化石油ガスの施設等……20m以上

⑤　特別高圧架空電線

ⓐ　7,000～35,000ボルト以下……３m以上

ⓑ　35,000ボルトを超える……５m以上

□　保有空地とは、消防活動および延焼防止のために製造所の周囲に確保する空地のことをいう。

□　敷地内距離……これは屋外タンク貯蔵所のみに義務づけられているもので、火災による隣接地への延焼を防止するための、タンク側板から敷地境界線までの距離のことをいう。

□　移動タンク貯蔵所とは、タンクローリーのことをいう。

□　屋外貯蔵所で貯蔵可能な危険物

①　第２類危険物……硫黄・引火性固体（引火点21℃未満）

②　第４類危険物……第１石油類（引火点０℃以上のもの）・アルコール類・第２石油類・第３石油類・第４石油類・動植物油類

□　販売取扱所には、第１種（指定数量の15倍以下）と第２種（指定数量の15倍を超え40倍以下）がある。

製造所の基準

1 位置

【保安距離】

保安距離とは、製造所の火災、爆発等の災害が付近の住宅、学校、病院等の**保安対象物**に対して、影響を及ぼさないように延焼防止および避難等の目的のために、保安対象物からその製造所の外壁またはこれに相当する工作物の外側までの間に定めた一定の距離のことをいう。

注意

◎保安距離が必要な5施設
①製造所
②屋内貯蔵所
③屋外タンク貯蔵所
④屋外貯蔵所
⑤一般取扱所

◆ 保安距離の例 ◆

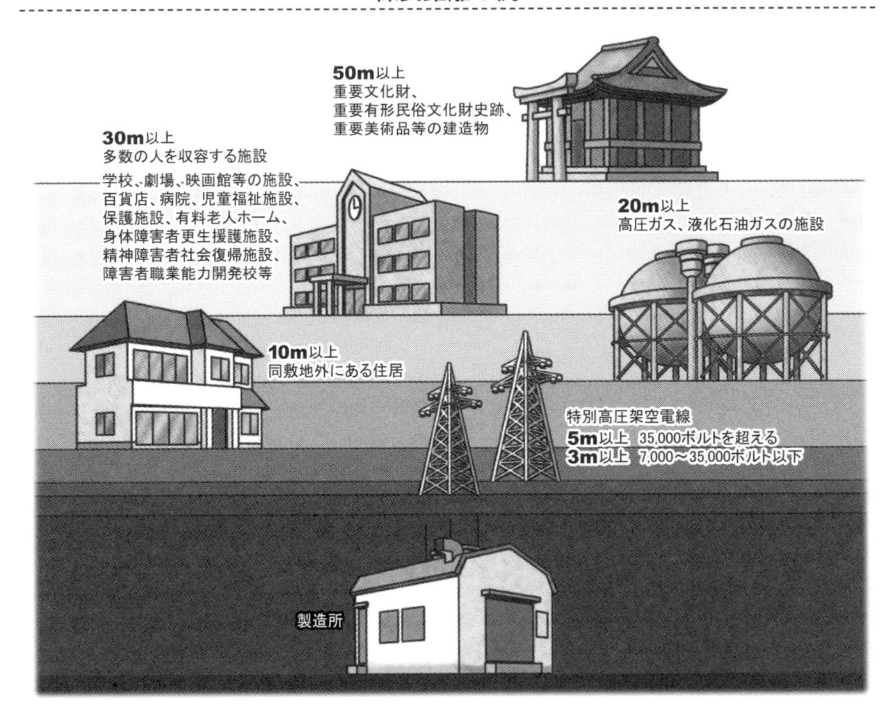

【保有空地】

保有空地とは、**消防活動および延焼防止**のために製造所等の周囲に確保する空地のことをいう。

◆ 保有空地の例 ◆

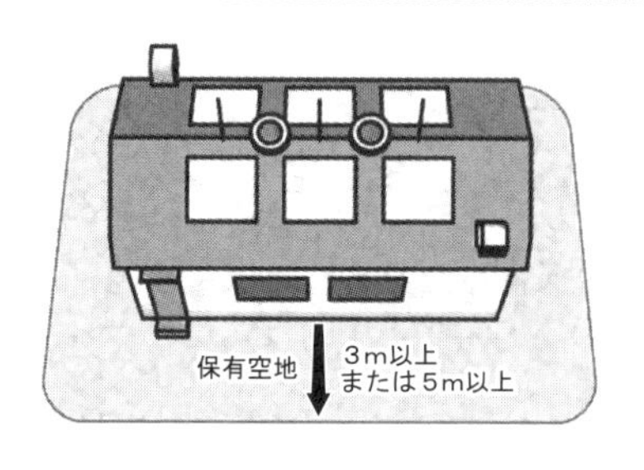

◆ 保有空地が必要な施設 ◆

①製造所
②屋内貯蔵所
③屋外タンク貯蔵所
④簡易タンク貯蔵所(屋外に設けるもの)
⑤屋外貯蔵所
⑥一般取扱所
⑦移送取扱所(地上設置のもの)

◆ 保有空地の幅 ◆

区分	空地の幅
指定数量の倍数が10以下の製造所	3m以上
指定数量の倍数が10を超える製造所	5m以上

保有空地が必要な施設は、
保安距離が必要な5施設＋
屋外に設ける簡易タンク貯
蔵所＋地上に設ける移送取
扱所になるね

保有空地にはどの
ような物も置いて
はならない

保有空地の幅は危険物
施設の形態・規模によ
って異なってくるぞ

2 構造

製造所の主な構造は、以下のとおりである。

① 建築物は地階を設けず、壁・柱・床・はり・階段は不燃材料で造る。

② 屋根は不燃材料で造り、金属板等の軽い不燃材料でふく。

③ 建築物の窓および出入口は、防火設備とし、ガラスを用いる場合は網入りガラスとする。

④ 液状の危険物を取り扱う建築物の床は、危険物が浸透しない構造とし、適当な傾斜をつけ、貯留設備を設ける。

ガラスは網入りガラスならOKだ
「ガラスの厚さは5mm以上」「ガラスを用いてはならない」といった問題がよく出題される
もちろん、これは×になるぞ

◆ 製造所の設置例 ◆

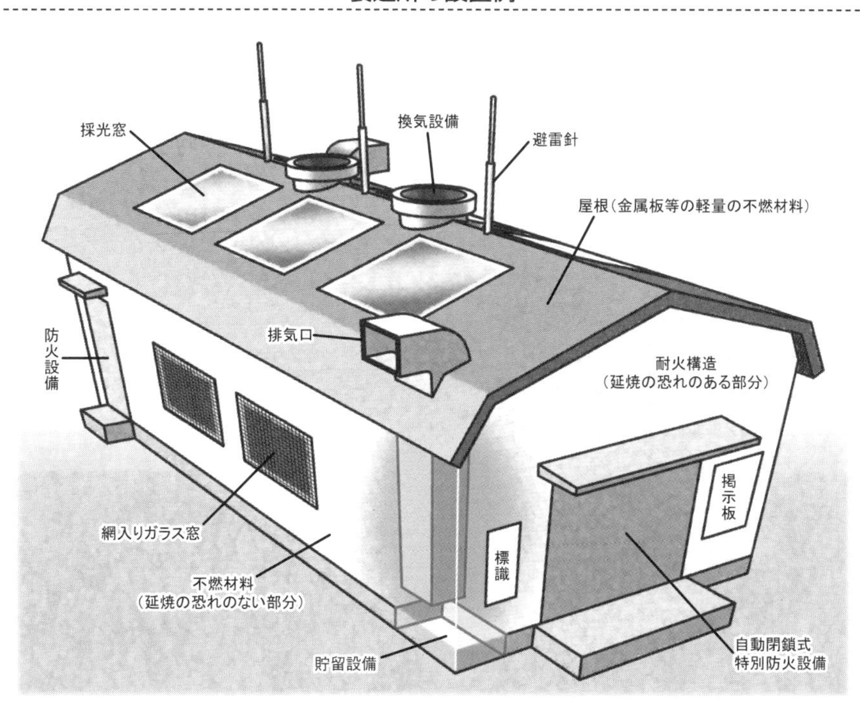

3 設備

製造所の主な設備は以下のとおりである。

① 建築物には、採光・照明・換気の設備を設ける。

② 屋外で液状の危険物を取り扱う施設には、その直下の地盤面の周囲に高さ0.15m以上の囲いを設ける。また、その地盤面はコンクリート等危険物が浸透しない構造とし、適当な傾斜をつけ、**貯留設備**を設ける。

③ 危険物が漏れ、あふれ、飛散しない構造とする。

④ 危険物の加熱等温度変化が起こる設備には、**温度測定装置**を設ける。

⑤ 危険物を加圧する設備または圧力が上昇するおそれのある設備には、**圧力計および安全装置**を設ける。

⑥ 電気設備は電気工作物に係る法令に基づき設置し、可燃性ガス等が滞留するおそれのある場所に設置する機器は、**防爆構造**とする。

⑦ 静電気が発生するおそれのある設備には、**接地**（アース）等有効に静電気を除去する装置を設ける。

4 配管の位置、構造および設備の基準

配管に関する主な基準は、以下のとおりである。

① 十分な強度のある材質を使用し、配管にかかる**最大常用圧力の1.5倍以上の圧力**で水圧試験を行ったとき、漏れなどその他の異常のないものとする。

② 取り扱う危険物によって容易に劣化するおそれのないものとする。

③ 火災等による熱によって容易に変形するおそれのないものとする。

④ 総務省令で定めるところにより、外面の腐食を防止する措置(そち)を講じる。

⑤ 地下に埋設(まいせつ)する場合は、配管の接合部から危険物の漏(ろう)えいを点検することができる措置を講じる。

⑥ 地下に埋設する場合は、上部の地盤面にかかる重量が配管にかからないように保護する。

⑦ 地上に設置する場合は、地震・風圧・地盤沈下・温度変化による伸縮等に対し、安全な支持物により支持する。

⑧ 指定数量の**倍数が10以上の製造所**には、日本工業規格に基づき、**避雷針**を設ける。

5 その他

引火点が100℃以上の第4類の危険物を取り扱う製造所には、基準の特例がある。また、アルキルアルミニウム、アセトアルデヒド等を取り扱う製造所には、基準を超える特例がある。

●電気設備に関する技術基準を定める省令
第207条 粉じんの多い場所における低圧の設備
第208条 可燃性ガス等の存在する場所の低圧の設備
第209条 危険物等の存在する場所における低圧の設備
第211条 腐食性のガス等の存在する場所における低圧の設備

補足

■製造所の面積……製造所には、床面積を規制する規定はない。

■延焼のおそれのある外壁

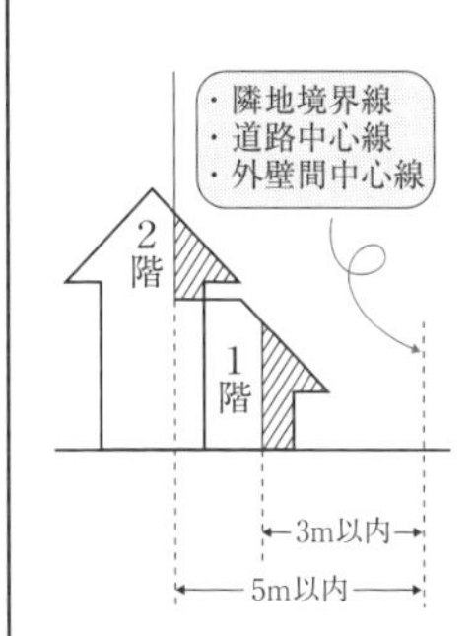

屋内貯蔵所の基準

1 位置

【保安距離】

「製造所の基準」に準じる。

【保有空地（ほゆうくうち）】

周囲に確保しなければならない保有空地の幅は、次のとおりである。

◆ 保有空地の幅 ◆

区分 指定数量の倍数	空地の幅	
	壁、柱、床が耐火構造の場合	壁、柱、床が耐火構造以外の場合
5以下	0m	0.5m以上
5を超え　10以下	1m以上	1.5m以上
10を超え　20以下	2m以上	3m以上
20を超え　50以下	3m以上	5m以上
50を超え　200以下	5m以上	10m以上
200を超える	10m以上	15m以上

2 構造

屋内貯蔵所の主な構造は、以下のとおりである。

① 一定の場合を除き、貯蔵倉庫は独立した専用の建築物とする。

② 貯蔵倉庫は、地盤面から軒の高さ（軒高）を6m未満の平家建てとし、床は地盤面より高くする。

③ 床面積は、1,000㎡以下とする。

④ 壁・柱および床は耐火構造とし、はりを不燃材料とする。

⑤ 屋根は不燃材料で造り、金属板等の軽量な不燃材料でふき、天井は設けない。

⑥ 窓および出入口には、防火設備を設ける。

⑦　液状の危険物の貯蔵倉庫の床は、危険物が浸透しない構造とし、適当な傾斜をつけ、**貯留設備**を設ける。

◆ 屋内貯蔵所の設置例 ◆

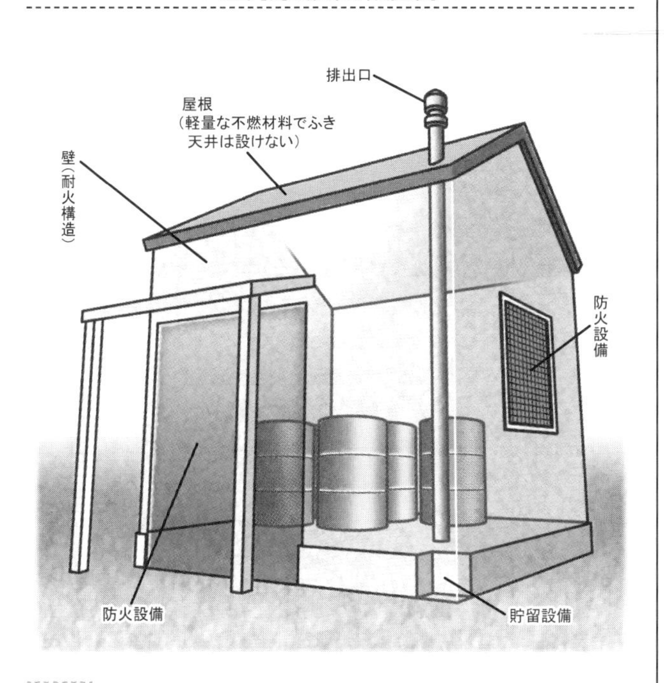

●天井を設けない理由……乙種第４類の危険物は、すべて引火性液体である。危険物の蒸気と空気の混合気は、爆発のおそれがあることから、常に排気・換気をよくしておく必要がある。
万一室内爆発が起こった場合、その爆発力を上方に逃がして弱めることができる。
●換気の設備……これは、引火性液体のほとんどがその蒸気比重が空気より大きい(重い)ため、強制的に換気するための設備である。

3 設備

屋内貯蔵所の主な設備は､以下のとおりである。

①　貯蔵倉庫に架台（かだい）を設ける場合は、不燃材料で造る。

②　貯蔵倉庫には、採光・照明および換気の設備を設ける。また、引火点が70℃未満の危険物の貯蔵倉庫にあっては、滞留（たいりゅう）した可燃性蒸気を屋根上に排出する設備を設ける。

③　「電気設備」「避雷設備」は、製造所の基準に準じる。

屋外タンク貯蔵所の基準

1 位置

【保安距離】

「製造所の基準」に準じる。

【保有空地】

屋外タンクの周囲に保有しなければならない保有空地は、貯蔵する危険物の指定数量の倍数に応じて、以下のように決められている。

◆ 保有空地の幅 ◆

区分		空地の幅
指定数量の倍数	500以下	3m以上
	500を超え1,000以下	5m以上
	1,000を超え2,000以下	9m以上
	2,000を超え3,000以下	12m以上
	3,000を超え4,000以下	15m以上
	4,000を超える	タンクの直径または高さのうち大なるものに等しい距離以上。ただし15m未満とすることはできない。

【敷地内距離】

敷地内距離とは、火災による隣接地への延焼を防止するための、タンク側板から敷地境界線までの距離のことである。

これは屋外タンク貯蔵所のみに義務づけられているもので、次ページの表のとおりである。

引火点が70℃以上の第４類危険物を貯蔵し、取り扱う二以上の屋外タンク貯蔵所を隣接して設置するときは、保有空地の幅を緩和することができるぞ

◆ 敷地内距離 ◆

対象区分 / 貯蔵する危険物の引火点	① 石油コンビナート等災害防止法による第1種または第2種事業所に存する屋外貯蔵タンク（1,000kℓ以上）の敷地内距離	② ①に掲げる以外の屋外貯蔵タンクの敷地内距離
21℃未満	1.8DまたはHもしくは50mのうち最大の数値以上の距離	1.8DまたはHのうち大きい数値以上の距離
21℃以上70℃未満	1.6DまたはHもしくは40mのうち最大の数値以上の距離	1.6DまたはHのうち大きい数値以上の距離
70℃以上	1.0DまたはHもしくは30mのうち最大の数値以上の距離	1.0DまたはHのうち大きい数値以上の距離

（注）D：タンク直径（横型タンクにあってはタンクの横の長さ）
　　H：タンクの地盤面からの高さ

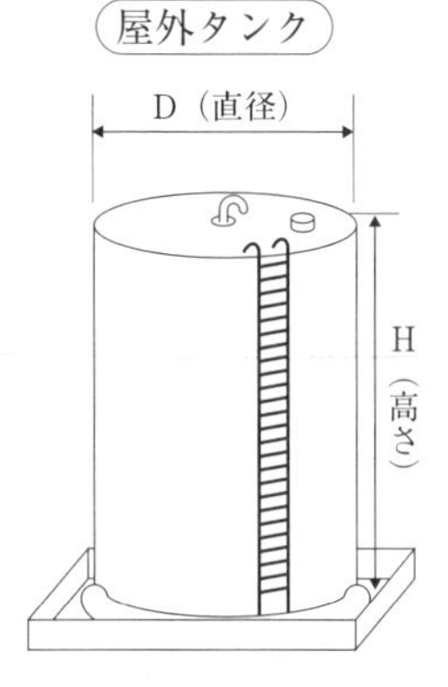

◆ 保安距離、保有空地、敷地内距離の測定法 ◆

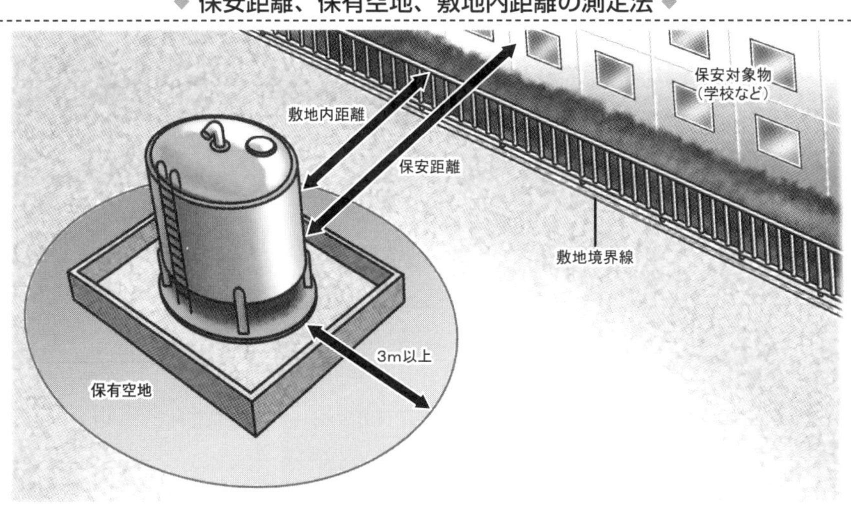

敷地内距離は屋外タンク貯蔵所のみに課せられていることを忘れないこと

距離幅はすべてタンクの側板が起点になっているよ

2 構造

屋外タンク貯蔵所の主な構造は、以下のとおりである。

① 屋外貯蔵タンクは、**厚さ3.2㎜以上の鋼板**で造る。

② 圧力タンクは**最大常用圧力の1.5倍の圧力**で10分間行う水圧試験、その他のタンクは水張試験に合格したものを設置する。

③ 屋外貯蔵タンクは、地震・風圧に耐える構造で支柱は鉄筋コンクリート造等の耐火性のあるものとする。

④ 屋外貯蔵タンクは、内圧が高くなったときに内部のガス等を上部に放出できる構造とする。

⑤ 屋外貯蔵タンクは、外面にさび止めの塗装をし、底面の外面の腐食を防止する措置を講ずる。

◆ 屋外タンク貯蔵所の設置例 ◆

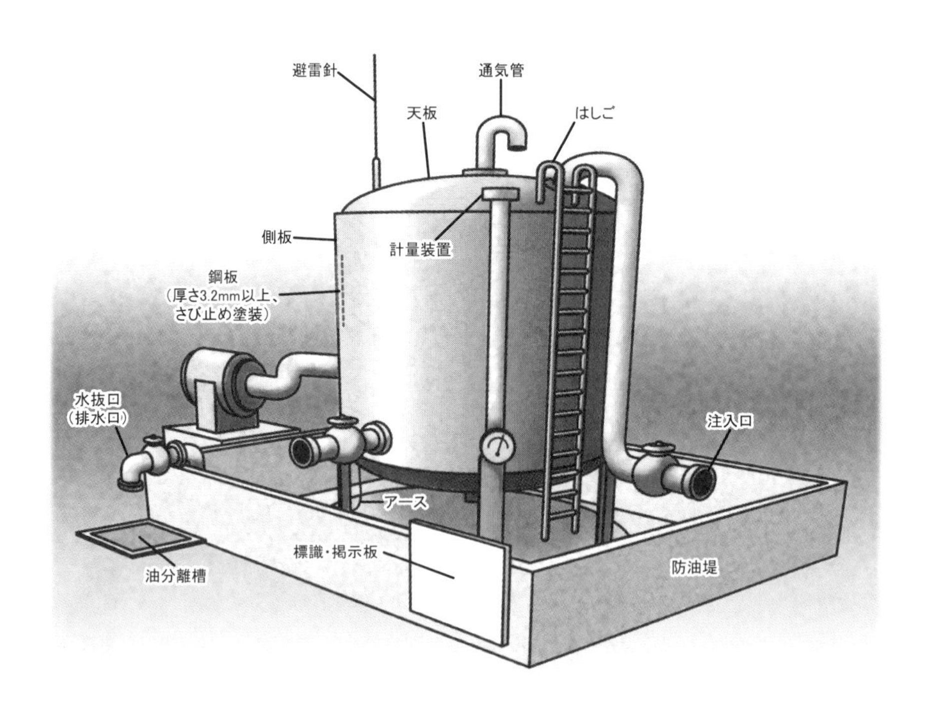

3 設備

屋外タンク貯蔵所の主な設備は、以下のとおりである。

① 圧力タンクには安全装置、その他のタンクには**通気管**を設ける。

② 液体の危険物の屋外貯蔵タンクには、危険物の量を自動的に表示する装置を設ける。

③ 注入口は危険物が漏れないように**弁またはふた**を設け、静電気を除去する装置を設ける。

④ 配管の材質と**避雷設備**は、製造所の基準に準じる。弁の材質は、鋳鋼または同等以上の機械的性質をもつもので造る。

⑤ 液体の危険物（二硫化炭素を除く）の屋外貯蔵タンクの周囲には、**防油堤**を設ける。

【防油堤の基準】

① 容量はタンク容量の**110％以上**（**非引火性のものは100％以上**）とする。

② 高さは**0.5m以上**とし、面積は**80,000㎡以下**とする。

③ 設置するタンクの数は**10以下**とする。

④ 周囲は構内道路に接するように設ける。

⑤ 鉄筋コンクリートまたは土で造り、危険物が外に流出しない構造とする。

⑥ **水抜口**を設け、これを開閉する弁等を防油堤の外部に設ける。

⑦ 高さが**１mを超える防油堤等**には、おおむね**30m**ごとに堤内に出入りするための階段を設置する。または、土砂の盛上げ等を行う。

◆ 無弁通気管の基準 ◆

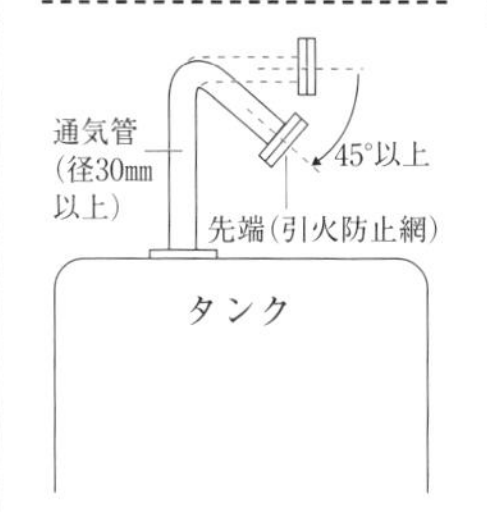

◆ 防油堤の基準 ◆

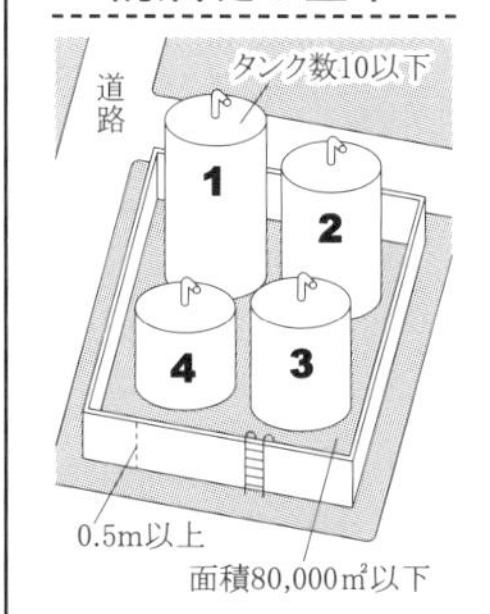

注意

◎防油堤の容量は、２つ以上のタンクがある場合は、最大タンクの容量の110％以上とする。

屋内タンク貯蔵所の基準

1 位置

「保安距離」「保有空地」は不要である。

2 構造

屋内タンク貯蔵所の主な構造は、以下のとおりである。

① 屋内貯蔵タンクは、平家建てのタンク専用室に設置する。

② 同一のタンク専用室に２つ以上の屋内貯蔵タンクを設置する場合は、タンク相互間に0.5m以上の間隔を保つ。

③ 屋内貯蔵タンクの容量は、指定数量の40倍以下とする。ただし、第４石油類および動植物油類以外の第４類危険物については、20,000ℓ以下とする。

④ タンク専用室の構造は壁・床を耐火構造、はり・屋根は不燃材料で造る。天井は設けない。

⑤ 液状の危険物を貯蔵するタンク専用室の床は、危険物が浸透しない構造とし、傾斜をつけ、貯留設備を設ける。

⑥ タンク専用室の出入口のしきいの高さは、0.2m以上とする。

「タンク専用室には耐火構造の天井を設けなければならない」といった問題がよく出題されるもちろん、これは×だ屋内タンク貯蔵所に天井は設けてはならないからね

同一のタンク専用室に２つ以上のタンクがある場合その最大容量はタンク容量を合算した量となる

◆屋内タンク貯蔵所の設置例◆

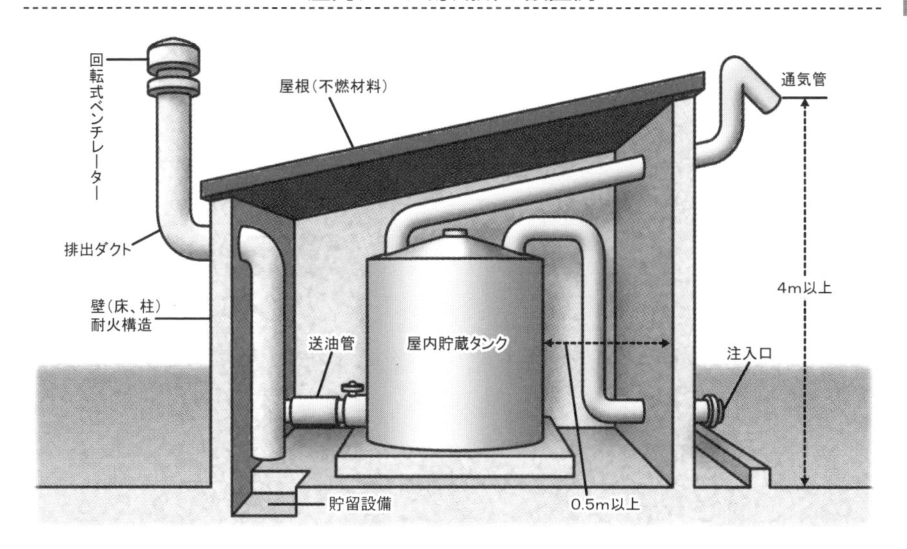

3 設備

屋内タンク貯蔵所の主な設備は、以下のとおりである。

① 配管は、製造所の基準に準じる。

② 採光・照明・換気および排出設備は、屋内貯蔵所の基準に準ずる。

③ **ポンプ設備**は、タンク専用室のある建築物に設ける場合は危政令による。

④ 弁・注入口は、屋外貯蔵タンクの基準に準じる。

⑤ 圧力タンクには安全装置を設け、その他のタンクには**通気管**を設ける。

⑥ 液体危険物の屋内貯蔵タンクには、危険物の量を自動的に表示する装置を設ける。

⑦ 電気設備は、製造所の基準に準じる。

補足

■無弁通気管の技術基準

①先端は屋外にあって地上4m以上の高さとし、窓・出入口等の開口部から1m以上離す。

②引火点が40℃未満の危険物については、先端を敷地境界線から1.5m以上離す。

③高引火点危険物のみを100℃未満で貯蔵し、取り扱うタンクに設ける場合は、先端をタンク専用室内とすることができる。

④滞油するおそれのある屈曲をさせない。

地下タンク貯蔵所の基準

1 位置

「保安距離」「保有空地」は不要である。

2 構造

地下貯蔵タンクの設置方法として、次のように規定されている。

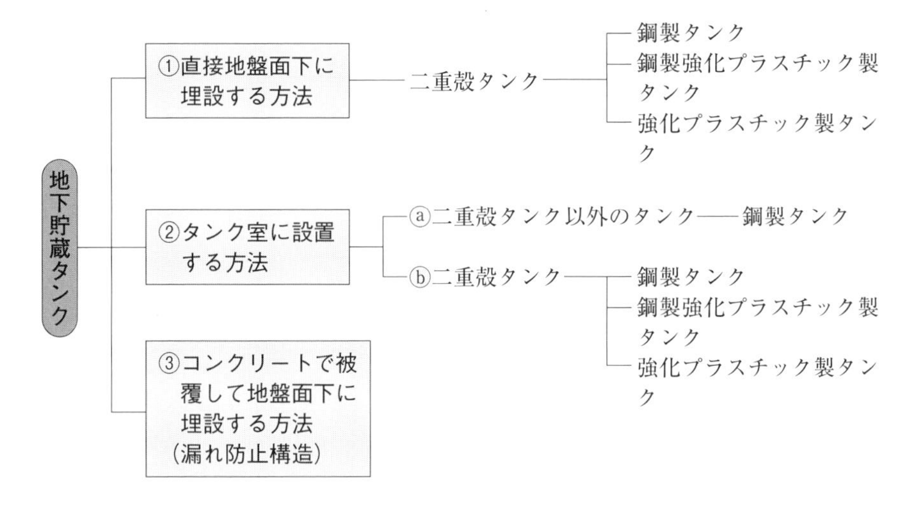

「地下貯蔵タンクの設置方法は複数ある」と覚えておこう
「地下貯蔵タンクは必ず直接地盤面下に埋設しなければならない」といった問題がよく出題される
もちろん、これは×になるぞ

本書では、乙種第４類の試験に直結する「タンクを地盤面下に埋設する場合（二重殻タンクを除く）」について解説する。

【地下貯蔵タンクを地盤面下に直接埋設する場合】

① タンクが地下鉄または地下トンネルから水平距離10m以内、地下建築物の場所に設置しない。

② タンクが水平投影の縦および横よりそれぞれ**0.6m以上**大きく、**厚さ0.3m以上**の鉄筋コンクリート造のふたで覆われている。

③ ふたにかかる重量が直接タンクにかからない構造とする。

④ 堅固な基礎の上に固定されている。

⑤ タンクは、**厚さ3.2㎜以上の鋼板**で造る。

補足

■主な設備基準

①圧力タンクには安全装置、その他のタンクには頂部に通気管を設ける。

②液体の危険物タンクには、計量装置または計量口を設ける。

③タンクの周囲には、危険物の漏れを検知する管を４か所設ける。

④注入口は頂部に取り付け、タンクへの配管も頂部へ取り付ける。

◆地下貯蔵タンク（地盤面下直接埋設法）施設例◆

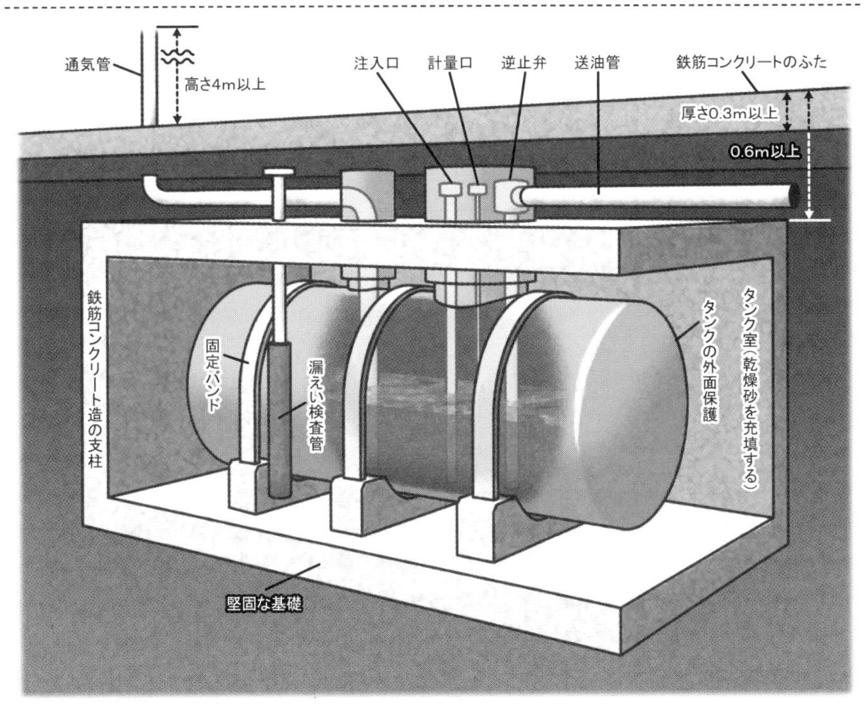

簡易タンク貯蔵所の基準

1 位置

「保安距離」は不要。ただし、屋外に設ける場合は、簡易貯蔵タンクの周囲に１m以上の空地を確保する。

2 構造

簡易タンク貯蔵所の主な構造は、以下のとおりである。

① 簡易タンク１基の容量は600ℓ以下とし、１つの簡易タンク貯蔵所には３基まで設置することができる。

② 同一品質の危険物については、２基以上設置できない。

③ 簡易貯蔵タンクをタンク専用室に設ける場合は、タンクと専用室の壁との間に0.5m以上の距離を保つ。

④ 簡易貯蔵タンクは、容易に移動しないように地盤面、架台（かだい）等に固定する。

⑤ 簡易貯蔵タンクは、厚さ3.2㎜以上の鋼板で造り、外側にさび止めを塗装し、70kPaの圧力で10分間行う水圧試験において漏れ・変形しないものとする。

◆ 簡易貯蔵タンクの例 ◆

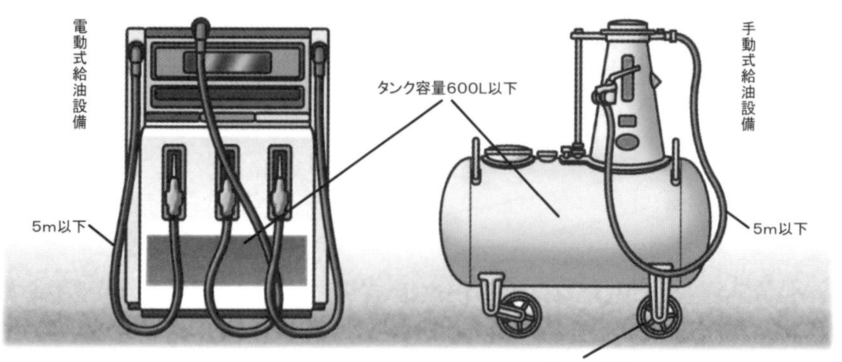

3 設備

簡易タンク貯蔵所の主な設備は、以下のとおりである。

① 簡易貯蔵タンクには、**通気管**を設ける。

② 簡易貯蔵タンクに給油または注油のための設備を設ける場合には、給油取扱所の固定給油設備または固定注油設備の基準に準ずる。

◆ 通気管の設置例 ◆

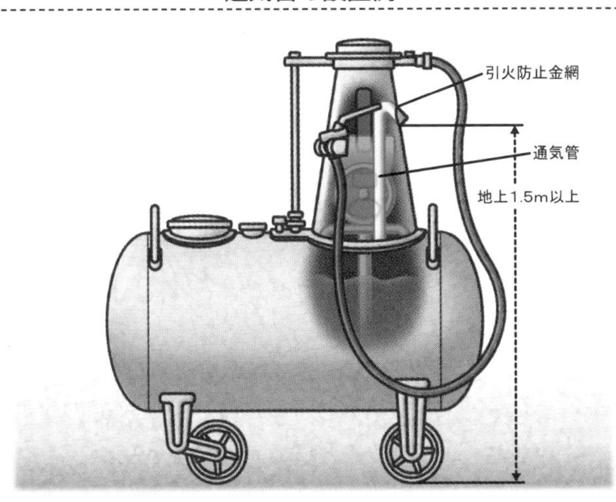

簡易タンク貯蔵所の試験での出題ポイントは、
①容量600ℓ以下
②１つの貯蔵所にタンク３基まで
③同一品質は２基以上不可
④無弁通気管を設ける
必ず出ると思って覚えること！

補足

■簡易タンク貯蔵所の保有空地……これは消防活動上ももちろん必要だが、主に危険物の取扱いや附属設備の点検などのために必要とされる空地である。

移動タンク貯蔵所の基準

1 位置

「保安距離」「保有空地(ほゆうくうち)」の規制はない。ただし、車両を常置する場所が屋外の場合は防火上安全な場所とし、屋内の場合は耐火構造または不燃材料で造った**建築物の1階**とする。

2 構造

移動タンク貯蔵所の主な構造は、以下のとおりである。

① タンクは**厚さ3.2㎜以上の鋼板**、またはこれと同等以上の機械的性質をもつ材料で**気密構造**とする。

② 圧力タンクでは**最大常用圧力の1.5倍の圧力**で、その他のタンクでは**70kPaの圧力**で、それぞれ**10分間**行う**水圧試験**において漏れや変形しないものとする。

③ タンクの容量は**30,000ℓ以下**とする。**4,000ℓ以下**ごとに区切る**間仕切板**を設け、容量が**2,000ℓ以上**のタンク室には**防波板**を設ける。

④ タンクには安全装置を設け、保護のための**防護枠(ぼうごわく)**と**側面枠**を設ける。

⑤ タンク外面には、さび止めの塗装を行う。

3 設備

移動タンク貯蔵所の主な設備は、以下のとおりである。

① タンクの下部に**排出口**を設ける場合は、排出口に**底弁**を設ける。同時に、非常時に備えその底部に手動閉鎖装置および**自動閉鎖装置**を設ける。

② タンクの配管は、先端部に**弁等**を設ける。

③ 可燃性蒸気が滞留（たいりゅう）するおそれのある場所に設ける電気設備は、可燃性蒸気に引火しない構造とする。

④ 静電気による災害が発生するおそれのある液体の危険物の移動貯蔵タンクには、**接地導線**を設ける。

⑤ 液体の危険物の**移動貯蔵タンク**には、タンクの注入口と結合できる結合金具を備えた**注入ホース**を設ける。

⑥ タンクには、貯蔵し取り扱う危険物の類・品名・最大数量を表示する設備を見やすい所に設け、標示を掲げる。

◆ 移動タンク貯蔵所の標識 ◆

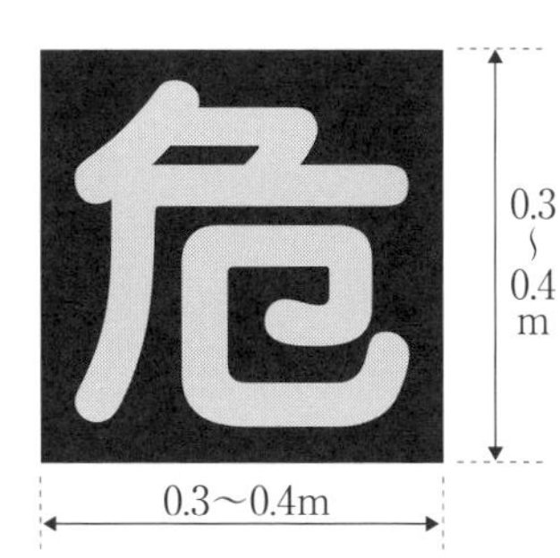

ⓐ黒地に黄色の反射塗料等で表示する。
ⓑ車両の前後に掲げる。

●間仕切板……タンクの内部を4,000ℓ以下ごとに区切って間仕切り板を設けることになっているが、もちろん3,000ℓでも2,000ℓで区切ってもよい。ただし、2,000ℓ以上に区切ると防波板が必要となる。

●防波板の設置方法……防波板は、車両の横揺れ等による危険物の動揺を抑えるためのものである。厚さ1.6㎜以上の鋼板などを使い、タンクの移動方向と平行に取り付ける。

屋外貯蔵所の基準

1 位置

【保安距離】

製造所の基準に準じる。

【保有空地(ほゆうくうち)】

さく等の周囲に確保しなければならない保有空地の幅は、以下のとおりである。

◆ 保有空地の幅 ◆

区分		空地の幅
指定数量の倍数	10以下	3 m以上
	10を超え20以下	6 m以上
	20を超え50以下	10m以上
	50を超え200以下	20m以上
	200を超える	30m以上

(注) 硫黄等の危険物を貯蔵し、または取り扱う場合は緩和措置がある。

2 構造・設備

屋外貯蔵所の構造と設備は、以下のとおりである。

① 貯蔵場所は、湿潤でなく、排水のよい場所とする。

② 周囲には、さく等を設ける。

③ 架台(かだい)は不燃材料で造り、堅固(けんご)な地盤面に固定する。

④ 架台の高さは、6 m未満とする。

屋外貯蔵所には、当然屋根がないので排水がよくないと容器の材質・種類によっては腐食が起こって、危険物の漏えいにつながるぞ

◆ 屋外貯蔵所の設置例 ◆

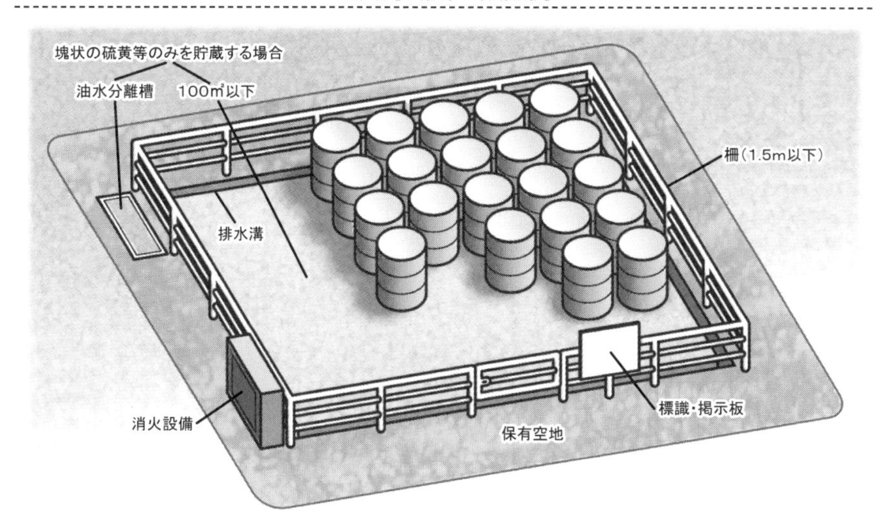

3 貯蔵可能な危険物

屋外貯蔵所で貯蔵できる危険物は、以下のとおりである。

① **第２類危険物**

ⓐ 硫黄

ⓑ 引火性固体（引火点が０℃以上または21℃未満のもの）

② **第４類危険物**

ⓐ 第１石油類（引火点が０℃以上のもの）

ⓑ アルコール類

ⓒ 第２石油類

ⓓ 第３石油類

ⓔ 第４石油類

ⓕ 動植物油類

第２類（可燃性固体）でも、硫黄・引火性固体しか貯蔵できない
例えば、硫化リンは貯蔵できない

注意

◎引火性固体の特例……屋外貯蔵所で貯蔵できる危険物は、「危政令第２条第７項」では引火点が０℃以上のものとなっているが、「危政令第16条第４項、危省令第24条の13、同第33条第１項第５号、同等34条第１項第４号」において、第４類危険物の第１石油類・アルコール類と併せて、引火性固体の引火点は21℃未満のものまで貯蔵できると規定されている。

給油取扱所の基準

1 位置

「保安距離」「保有空地」は不要である。

2 構造・設備

給油取扱所の構造・設備は、以下のとおりである。

① 固定給油設備のホース機器の周囲には、自動車等が出入りするための**間口10m以上、奥行 6 m以上**の給油空地を保有する。

② 灯油等の詰め替え、車両に固定された**4,000 ℓ 以下**のタンクに注入するための固定注油設備を設ける場合は、ホース機器の周囲に詰め替え等に必要な注油空地を**給油空地以外の場所**に保有する。

◆ 給油取扱所の設置例 ◆

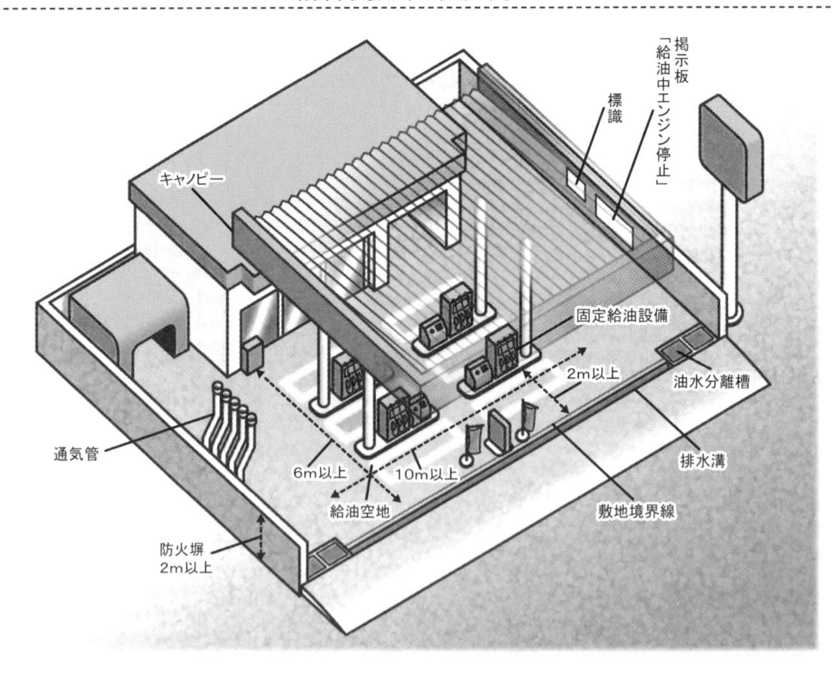

③ 給油空地および注油空地は、その地盤面を周囲の地盤面より高くし、その表面に傾斜をつけ、コンクリート等で舗装する。

④ 漏れた危険物等がその空地以外の部分に流出しないように、**排水溝**および**油分離装置**を設ける。

⑤ 固定給油設備もしくは固定注油設備に接続する専用タンクまたは**容量10,000ℓ以下**の廃油タンク等を地盤面下に埋設（まいせつ）して設けることができる。

⑥ 防火地域および準防火地域以外の地域に限り、**容量600ℓ以下**の簡易タンクを地盤面上に同一品質の危険物ごと1基ずつ、**計3基**まで設けることができる。

⑦ 専用タンクおよび廃油タンク等の構造等は、地下貯蔵タンクの基準に準ずる。

⑧ 簡易タンクの構造等は、簡易貯蔵タンクの基準に準ずる。

⑨ 危険物を注入するための配管は、接続する専用タンクまたは簡易タンクからのみとする。

⑩ 給油ホースおよび注油ホースは、先端に弁を付け、**全長5m以下**とする。そして、その先端に蓄積される静電気を除去する装置を設ける。

ガソリン・軽油の場合は「給油」といい、灯油の場合は「注油」だと覚えておけばよい

補足

■**保安距離・保有空地**……いずれも必要としないのは、自動車等が出入りする側を除く周囲に、高さ2m以上の防火上有効な壁を設ける規定があり、また給油空地等を設ける規定により、近隣への防災や消防活動の面でも、保安上十分な措置がとられているとみなされることによる。

●給油空地……間口10m×奥行6mとは、小型自動車を基準にその最小回転半径等を考慮して決められている。

●給油取扱所における販売……給油取扱所においてガソリンを容器に詰め替えて販売するとき、以下のことが求められる。①消防法令で定められた容器を使用する。②購入者の身分の確認。③使用目的の確認。④販売記録の作成。

⑪　給油・注油設備のポンプ機器の最大吐出量（としゅつりょう）は、以下のとおり定められている。

◆ ポンプ機器の最大吐出量（毎分）◆

油種＼区分	固定給油設備	固定注油設備
ガソリン	50ℓ以下	
メタノールまたはメタノールを含有するもの	50ℓ以下	
軽油	180ℓ以下	60ℓ以下※
灯油		60ℓ以下※

※車両に固定されたタンク上部から注油する場合は、180ℓ以下

毎分の最大吐出量に制限があるのは、静電気によるスパーク放電の危険性を考えてのことだ

⑫　給油・注油ホースの直近の位置に、取り扱う危険物の品目を表示する。

⑬　固定給油・注油設備は、道路境界線等から以下の間隔を保つ。

◆ 諸設備の設置間隔 ◆

<table>
<tr><th rowspan="2">間隔の起点＼設備</th><th colspan="2">懸垂式</th><th colspan="2">懸垂式以外</th></tr>
<tr><th>固定給油設備</th><th>灯油用固定注油設備</th><th>固定給油設備</th><th>灯油用固定注油設備</th></tr>
<tr><td>道路境界線</td><td colspan="2">4m以上</td><td colspan="2">最大ホース全長3m以下のとき　4m以上
最大ホース全長3mを超え4m以下のとき　5m以上
最大ホース全長4mを超え5m以下のとき　6m以上</td></tr>
<tr><td>建物の壁</td><td colspan="4">2m以上（壁に開口部がない場合1m以上）</td></tr>
<tr><td>敷地境界線から</td><td>2m以上</td><td>1m以上</td><td>2m以上</td><td>1m以上</td></tr>
<tr><td>固定給油設備から</td><td></td><td>4m以上</td><td></td><td>最大ホース全長3m以下のとき　4m以上
最大ホース全長3mを超え4m以下のとき　5m以上
最大ホース全長4mを超え5m以下のとき　6m以上</td></tr>
</table>

◆ 固定式給油設備と懸垂式給油設備 ◆

《固定式》　《懸垂式》

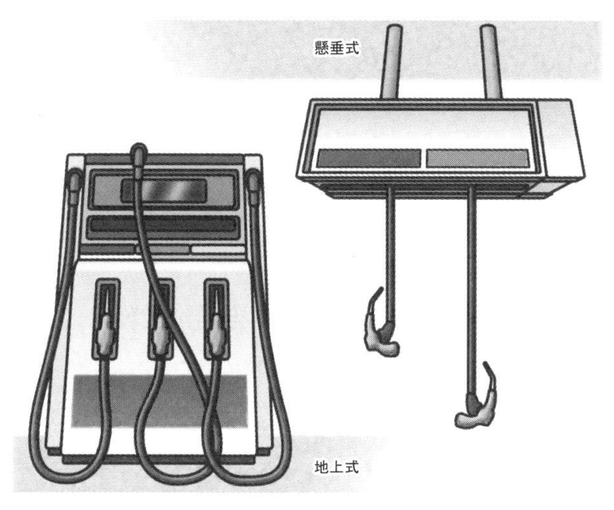

⑭　給油取扱所には、給油またはこれに付帯する業務のための用途の建築物以外の建築物その他の工作物を設けることはできない。

⑮　取扱所の業務を行うための事務所の構造・設備は、以下のとおり。

ⓐ　給油取扱所の建築物は、壁・柱・床・はり・屋根を**耐火構造**または**不燃材料**で造り、窓および出入口に**防火設備**を設ける。

ⓑ　給油取扱所の周囲には、自動車等の出入りする側（幅員4m以上の道路）を除き、高さ**2m以上**の耐火構造または不燃材料のへい、または壁を設ける。

ⓒ　事務所その他火気を使用するものは、漏れた可燃性蒸気がその内部に流入しない構造とする。

補足

■給油取扱所内に設置できる建築物の用途の例

給油・注油の作業場

事務所

洗車施設

3 給油行為等に関する取扱いの基準

○固定給油設備を使用して直接給油し、原動機（エンジン）を停止させること。

○自動車等の一部又は全部が**給油空地**からはみ出たままで給油しないこと。

○固定給油設備又は固定注油設備には、接続する専用タンク又は簡易タンクの配管以外から危険物を注入しないこと。

○危険物を**注入中**の専用タンクに接続している固定給油設備は、使用してはならない。

○自動車等に給油するとき又は移動貯蔵タンクから専用タンクに危険物を注入するときは、以下の場所において、他の自動車等が駐車することを禁止するとともに、自動車等の点検若しくは整備又は洗浄を行わないこと。

・固定給油設備の給油ホース長さ＋１m以内（最大６m）

・専用タンクの注入口から３m以内、通気管の先端から水平距離1.5m以内

○自動車等の洗浄を行う場合は、**引火点**を有する液体の洗剤を使用しないこと。

○物品の販売、飲食店又は展示場の用途に係る業務は、以下の場合以外は建築物の**１階のみ**で行うこと。

・容易に避難できる建築物の２階で、物品の販売、飲食店又は展示場の業務を行う場合

・給油を行う作業場又は事務所に設ける犬走り（建物の外壁に沿ったコンクリート部分）の出入口近傍で物品を展示する場合

○給油の業務が行われていないときは、係員以外の者を出入させないため必要な措置を講ずること。

店舗や飲食店は設置できるが、遊技場は設置できない
給油目的で来る人向けの施設に限っているということだ

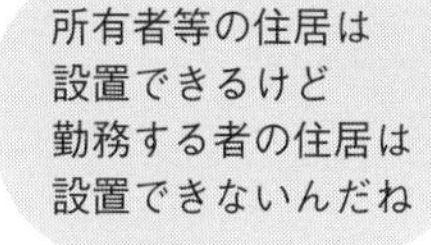

所有者等の住居は
設置できるけど
勤務する者の住居は
設置できないんだね

4 給油取扱所に設置できる建築物

○給油、詰め替え、点検、整備、洗浄のための作業場

○業務を行うための事務所

○**店舗**（コンビニエンスストア）、**飲食店**（喫茶店・レストラン）、**展示場**（給油取扱所に給油のために出入りする者を対象としたもの）

○**所有者等が居住**するための住居、またはこれらの者に係る他の給油取扱所の業務を行うための事務所
（所有者等以外の勤務者が居住する住居は認められない）

補足

■**給油空地の意義**……固定給油設備のホース機器の近辺には、給油・車両の通行のための空地が必要となる。これが給油空地である。

■**固定給油設備**……ポンプ機器・ホース機器からなる固定された給油設備のこと。地上に固定される固定式（地上式）と天井から吊り下げる懸垂式がある。

■**犬走り**……建築用語で、建物の外壁下の基礎に隣接した通路上の部分のこと。

5 給油取扱所に設置できない建築物

○給油取扱所に勤務する者の住居
○自動車に吹付・塗装を行うための作業場
○給油取扱所に出入りする者を対象とした遊技場（ゲームセンター・カラオケボックス等）
○立体駐車場、診療所

6 顧客に自ら給油等をさせる給油取扱所（セルフ型スタンド）の基準①

（設備等の基準）

スタンドの位置等

○セルフスタンドであることを見やすい場所に表示する。
○自動車の停止位置を表示する。
○使用方法、危険物の品目を表示する。

◆ 危険物の品目の色分け ◆

種類	ガソリン（ハイオク）	ガソリン（レギュラー）	灯油	軽油
色	黄	赤	青	緑

給油設備等

○地震時に危険物の供給を自動停止できるようにする。
○給油量や給油時間の上限を設定できるようにする。
○ガソリン・軽油の誤給油を防止できるようにする。
○固定給油設備には、顧客の運転する自動車等の衝突防止対策をする。
○供給時に人体に蓄積されている静電気を除去できるようにする。
○自動車等のタンクが満杯になった場合、給油を自動停止できるようにする。

7 顧客に自ら給油等をさせる給油取扱所（セルフ型スタンド）の基準②

(取扱いの基準)

○顧客用固定給油設備以外で顧客に給油をさせてはならない。

○顧客用固定給油設備であっても、顧客に自らガソリンを容器へ**詰め替え**させてはならない。

○制御卓では、顧客の給油作業等を直視等によって**監視**する。

○放送機器等によって顧客に必要な指示等を行えるようにする。

○顧客の給油作業等が終了したときは、**給油を行えない状態**にする。

危険物を注入中の専用タンクに接続している固定給油設備は、使用してはいけないぞ「給油速度を遅くすれば使用してもよい」という選択肢は×だ

自動車等の洗浄をする場合は、引火点を有する液体洗剤を使用してはならないんだ

補足

■品目の表示……危険物の品目表示に彩色する場合には、所定の色にしなければならない。

■人体の静電気除去……人体に蓄積された静電気を除去するため、静電気除去シートを設置する。

■制御卓……顧客の給油作業を監視、制御等を行うコントロール室のこと。

◎給油取扱所に設置できる建築物、設置できない建築物は頻出である。

販売取扱所の基準

1 位置

「保安距離」「保有空地」は不要である。ただし、店舗は建築物の1階に設置しなければならない。

【注意】 販売取扱所は、取り扱う危険物の数量により「第1種販売取扱所」と「第2種販売取扱所」の2つに区分される。

販売取扱所	取り扱う危険物の数量
第1種販売取扱所	指定数量の15倍以下
第2種販売取扱所	指定数量の15倍を超え40倍以下

◆ 第1種販売取扱所の設置例 ◆

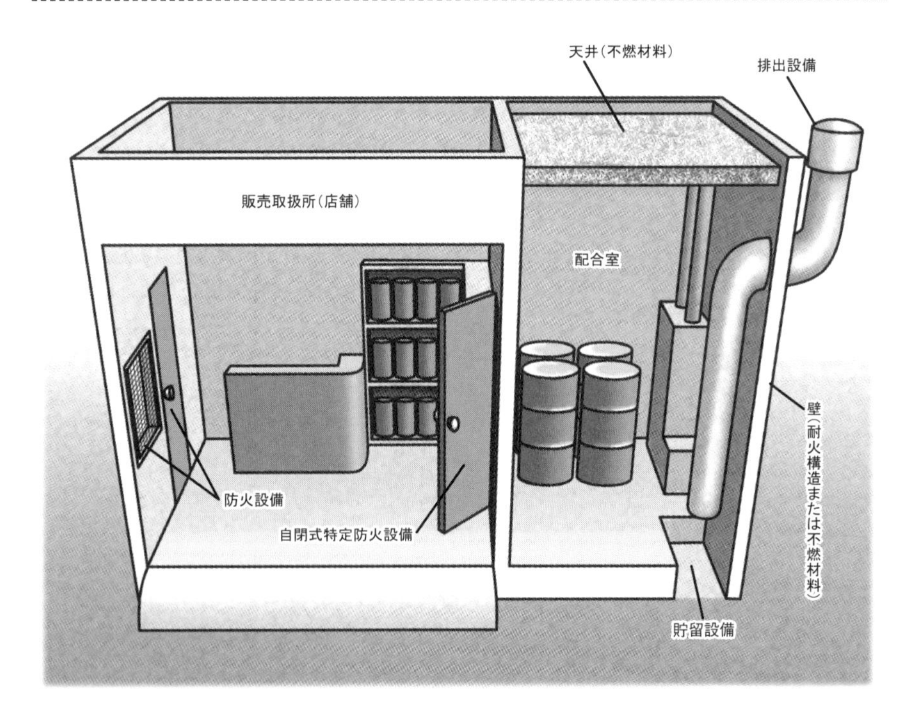

2 第1種販売取扱所の構造・設備

第1種販売取扱所の主な構造・設備は、以下のとおりである。

① 店舗(てんぽ)部分は、壁を**準耐火構造**とする。
② 店舗部分とその他の部分との隔壁は、**耐火構造**とする。
③ 店舗部分のはりは**不燃材料**で造り、天井を設ける場合は天井も不燃材料で造る。
④ 店舗部に上階がある場合、上階の床を**耐火構造**とする。上階がない場合、屋根を耐火構造とするか、または不燃材料で造る。
⑤ 店舗の窓および出入口には、**防火設備**を設ける。また、窓および出入口にガラスを用いる場合は、**網入りガラス**とする。
⑥ 危険物の配合室には、床面積の制限その他一定の構造・設備の基準がある。

3 第2種販売取扱所の構造・設備

第2種販売取扱所の構造・設備には、第1種販売取扱所に比べて、さらにきびしい規制がなされている。

第2種販売取扱所の規制が第1種販売取扱所の規制よりきびしいのは、取り扱う危険物の数量が多いことによる

補足

販売取扱所……販売取扱所とは、店舗において容器入りのまま販売するために危険物を取り扱う施設である。したがって、販売用の容器への小分けや配合などの作業が伴い、その際に危険物の蒸気が屋内に滞留するおそれがあるため、販売取扱所を2階や地階に設置することは禁じられている。

◎第2種販売取扱所は、壁・柱・床・はりをすべて耐火構造にしなければならない。

移送取扱所の基準

1 位置

移送取扱所の主な位置基準は、以下のとおりである。

① 保安上設置してはならない場所が定められている。

例）鉄道および道路の隧道（ずいどう）内（ない）など

② 移送配管は、設置方法により一定の位置制限がある。

例）市街地での道路下埋設（まいせつ）は、その深さを1.8m以下にしない。

2 構造

移送取扱所の主な構造は、以下のとおりである。

① 配管等の材料は、規格に適合するものを使用する。

② 配管等の構造は、配管等の内圧、移送される危険物の重量等に対して安全なものとする。

③ 配管等の接合は、原則として溶接によって行い、その方法も一定の基準に適合したものとする。

④ 配管は**伸縮吸収措置（そち）**、**漏（ろう）えい拡散防止措置**、可燃性蒸気の**滞留（たいりゅう）防止措置**を講じる。

3 設備

移送取扱所の主な設備は以下のとおりである。

① ポンプおよび附属設備は、一定の基準に適合したものとする。

② 配管の経路に**感震装置**、**強震計**および**通報設備**を設ける。

③ 警報設備等保安のための設備には、**予備動力源**を設ける。

【特定移送取扱所】 危険物を移送するための**配管延長が15㎞を超える**もの、または配管にかかる**最大常用圧力が0.95MPa以上**であって、**配管の延長が 7 ㎞以上**のものをいう。

一般取扱所の基準

1 位置・構造・設備

一般取扱所の位置・構造・設備の基準は、製造所の基準に準ずる。

2 基準の特例

次に掲げる主な一般取扱所には、危険物の取扱形態、数量等によって基準の特例がある。

① **吹付塗装作業等の一般取扱所**……第2類および特殊引火物を除く第4類の危険物のみを扱う**指定数量の倍数が30未満**の施設。

② **焼入れ**(やきい)**作業等の一般取扱所**……引火点70℃以上の第4類危険物のみを扱う指定数量の**倍数が30未満**の施設。

③ **ボイラー等で危険物を消費する一般取扱所**……引火点40℃以上の第4類危険物のみを消費し、指定数量の**倍数が30未満**の施設。

④ **充**(じゅう)**てんの一般施設**……車両に固定されたタンクに液体の危険物を注入する施設（併設して容器に詰め替える取扱所をふくむ）。

⑤ **詰替えの一般取扱所**……固定した注油設備によって引火点40℃以上の第4類の危険物のみを容器に詰め替え、または車両に固定された容量4,000ℓ以下のタンクに注入し、指定数量の倍**数が30未満**の施設。

注意

◎一般取扱所……指定数量以上の危険物を取り扱う施設で、給油取扱所・販売取扱所・移送取扱所のいずれにも分類されないすべての取扱所のことをいう。

補足

■その他の基準の特例施設

①油圧装置等を設置する一般取扱所

②切削装置等を設置する一般取扱所

③熱媒体循環装置を設置する一般取扱所

④高引火点危険物のみを100℃未満の温度で取り扱う一般取扱所

標識・掲示板

製造所等には、見やすい箇所に危険物の製造所等である旨を示す標識および防火に関し、必要な事項を掲示した掲示板を設けなければならない。

1 標識

標識の基準は以下のとおりである。

① 移動タンク貯蔵所を除く製造所等の標識

ⓐ 幅0.3m以上、長さ0.6m以上

ⓑ 色は地が白色、文字が黒色

ⓒ 製造所等の各名称を記載（きさい）

② 移動タンク貯蔵所の標識

ⓐ 大きさは、0.3m平方以上0.4m平方以下

ⓑ 地が黒色の板に黄色の反射塗料等で「危」と表示

ⓒ 車両の前後の見やすい箇所に掲げる。

ここでいう「危険物運搬車両」とは指定数量以上の危険物を運搬する車両のことをいうよ

地－白
文字－黒

危
0.3m以上
0.4m以下
0.3m以上
0.4m以下

（移動タンク貯蔵所）

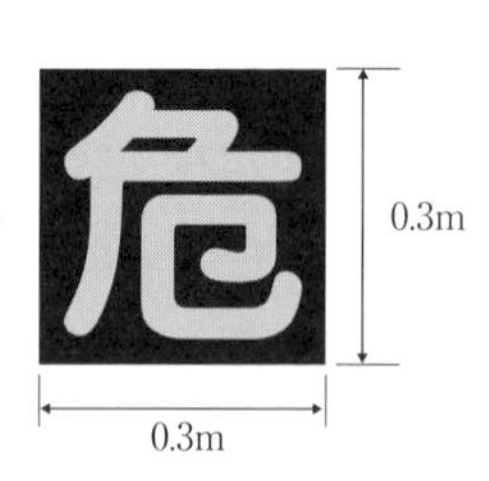

（危険物運搬車両）

2 掲示板

掲示板の基準は以下のとおりである。

① 類別等を表示した掲示板

ⓐ 幅0.3m以上、長さ0.6m以上

ⓑ 地は白色、文字は黒色

Ⓒ 危険物の類・品名、貯蔵または取扱い最大数量、指定数量の倍数

ⓓ 危険物保安監督者の氏名または職名

② 「給油中エンジン停止」と表示した掲示板

給油取扱所では、上記①の掲示板とは別に、これを設ける。

ⓐ 幅0.3m以上、長さ0.6m以上

ⓑ 地は黄赤色、文字は黒色

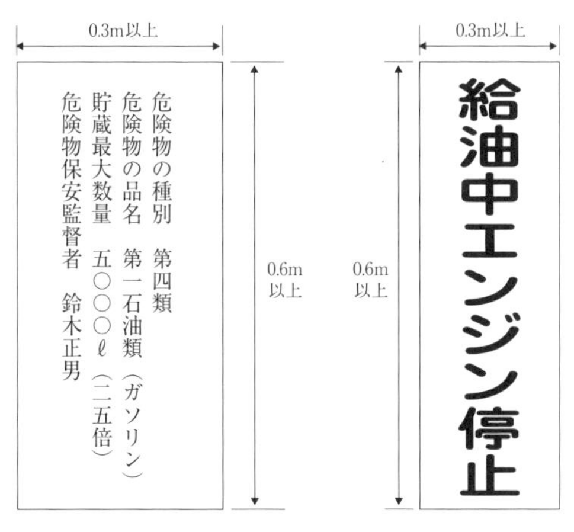

＊危険物保安監督者名は職名でもよい　＊給油取扱所のみの掲示

注意

◎標識の寸法……移動タンク貯蔵所と危険物運搬車両の標識の寸法は、異なることに注意する。

また、「0.3m平方」という単位が出てくるが、これは、0.3m×0.3mという意味なので、0.3m²とはまったく違うので注意すること。

掲示板の寸法は変えられないが、文字はタテ書きでもヨコ書きでもOK！

③　注意事項を表示した掲示板

危険物の性状に応じて、以下の区分による注意事項を表示した掲示板を設ける。

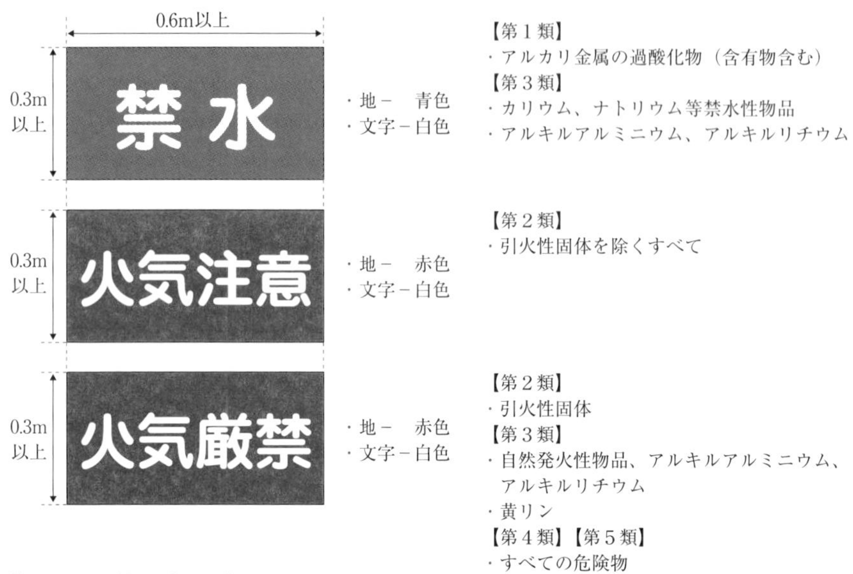

④　その他の掲示板

引火点が21℃未満の危険物を貯蔵し、取り扱う屋外・屋内タンク貯蔵所および地下タンク貯蔵所の注入口・ポンプ設備には、取り扱う危険物の類、品名、上記③の注意事項を表示した掲示板を設ける。

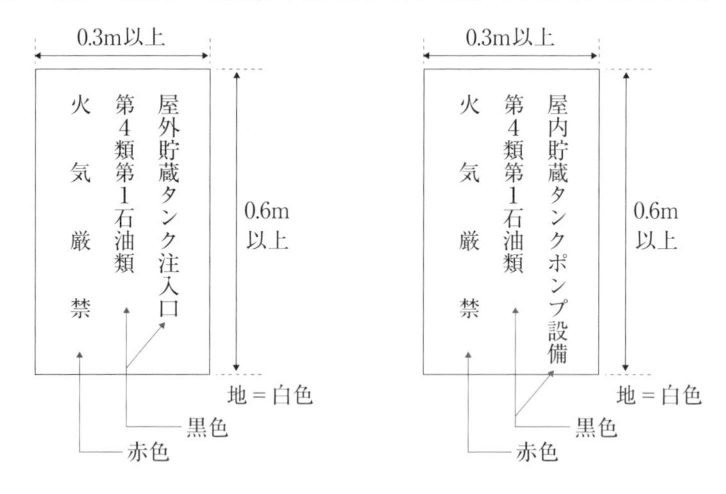

例題１　難　中　易

製造所等の中には、特定の建築物等との間に保安距離を保たなければならないものがある。その建築物等と保安距離との組み合わせとして、誤っているものを１つ選びなさい。

(1)　住　宅……………10m以上
(2)　病　院……………30m以上
(3)　高圧ガス施設……20m以上
(4)　中学校……………40m以上
(5)　重要文化財………50m以上

解答１ ▶ (4)

解説　学校・病院・福祉施設・劇場・映画館など、多くの人が集まる施設等からは30m以上の保安距離が必要である。

例題２　難　中　易

次の製造所のうち、保安距離を必要としないものはどれか。正しいものを１つ選びなさい。

(1)　製造所　(2)　屋内貯蔵所
(3)　屋外タンク貯蔵所　(4)　移送取扱所
(5)　一般取扱所

解答２ ▶ (4)

解説　保安距離が必要とされるのは、以下の製造所等である。①製造所②屋内貯蔵所③屋外タンク貯蔵所④屋外貯蔵所⑤一般取扱所

例題３　難　中　易

製造所の基準について、誤っているものはどれか。１つ選びなさい。

(1)　建築物には、採光･照明･換気の設備を設ける。
(2)　建築物は地階を有しないものであり、壁・柱・床・はり、および階段は不燃材料とする。
(3)　静電気が発生する恐れのある設備には、接地等、静電気を有効に除去する装置を設ける。
(4)　可燃性蒸気等が滞留するおそれのある場合には、屋外の高所に排出する設備を設ける。
(5)　建築物の窓および出入り口には、ガラスを用いない。

解答３ ▶ (5)

解説　ガラスは網入りガラスであれば使用できる。

例題 4

難 **中** 易

屋外タンク貯蔵所の保安距離について、a～f に関する説明が正しいものを1つ選びなさい。

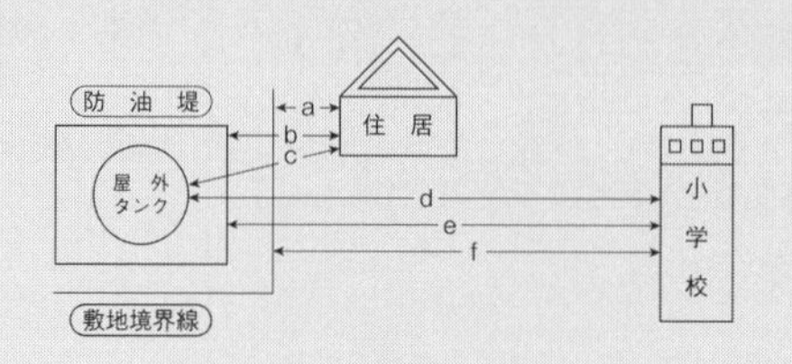

(1) a は10m以上、 f は30m以上確保する。

(2) a は10m以上、 d は50m以上確保する。

(3) c は10m以上、 d は30m以上確保する。

(4) b は30m以上、 e は50m以上確保する。

(5) c は30m以上、 f は50m以上確保する。

解答 4 ▶ (3)

解説　保安距離とは、保安対象物から危険物までの距離である。したがって、タンクに貯蔵している場合には、タンクの外壁までの距離がそれに当たる。

例題 5

難 中 易

第4類危険物の第4石油類のみを貯蔵する屋内タンク貯蔵所について、誤っているものはどれか。1つ選びなさい。

(1) 屋内貯蔵タンクのタンク専用室は、平屋建て以外の建築物に設けない。

(2) 屋内貯蔵タンクとタンク専用室の壁との間は、0.5m以上の間隔を保つ。

(3) 屋内貯蔵タンクの容量は、指定数量の40倍以下とする。

(4) 屋内貯蔵タンクには、危険物の量を自動的に表示する装置を設ける。

(5) タンク専用室の床は、危険物が浸透しない構造とするとともに、傾斜をつけ、貯留設備を設ける。

解答 5 ▶ (1)

解説　屋内貯蔵所のタンク専用室は、原則としては選択肢の記述どおりである。ただし、次のような特例があり、平屋建て以外の建築物にも設けることができる。それは、引火点40℃以上の比較的危険性の少ない第4類危険物のみを貯蔵し取り扱う場合。

例題6　難 中 易

地下タンク貯蔵所の基準で、地下貯蔵タンクの設置方法として誤っているものはどれか。1つ選びなさい。

(1) 地下貯蔵タンクをコンクリート被覆して、地盤面下に埋設する方法。
(2) 強化プラスチック製二重殻タンクを、直接地盤面下に埋設する方法。
(3) 鋼製二重殻タンクを、直接地盤面下に埋設する方法。
(4) 鋼製二重殻タンクを、タンク室に設置する方法。
(5) プラスチック製タンクをタンク室に設置する方法。

解答6 ▶ (5)

解説　地下タンク貯蔵所では、プラスチック製のタンクはどの場合も許されない。プラスチック製ならば、強化プラスチック製二重殻タンクでなければならない。

例題7　難 中 易

移動タンク貯蔵所の技術上の基準として、誤っているものはどれか。1つ選びなさい。

(1) 貯蔵タンクの配管は、先端部に弁等を設ける。
(2) 貯蔵タンクの容量は40,000ℓ以下とし、4,000ℓ以下ごとに区切る間仕切り板を設ける。
(3) 貯蔵タンクには、見やすい箇所に危険物の類・品名および最大数量を表示し、また標識を掲げる。
(4) 静電気による災害が発生するおそれのある液体危険物の貯蔵タンクには、接地導線を設ける。
(5) 貯蔵タンクの外面には、さび止めのための塗装を施す。

解答7 ▶ (2)

解説　移動タンク貯蔵所のタンク容量は30,000ℓ以下が正しい。留意点は以下のとおりである。①タンク容量30,000ℓ以下②タンク内部に4,000ℓ以下ごとに区切る間仕切り板を設ける。③間仕切り板は、厚さ3.2㎜以上の鋼板とする。

6 消火設備・警報設備・避難設備の基準

まとめ＆丸暗記　この節の学習内容と総まとめ

□　消火設備は、第１種から第５種に区分されている。

第１種消火設備

第２種消火設備

第３種消火設備

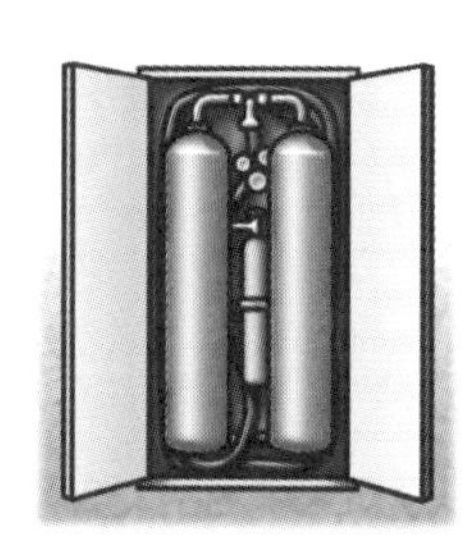

第４種消火設備

第５種消火設備

□　消火の困難性の区分

①　著しく消火が困難と認められるもの……（第１種、第２種または第３種）＋第４種＋第５種

②　消火が困難と認められるもの……第４種＋第５種

③　①②以外のもの（移動タンク貯蔵所を除く）……第５種

消火設備の基準

1 消火設備の種類と適応性

消火器の種類は、危政令別表第5（次ページ参照）によって第1種から第5種までの消火設備に区分されている。

第1種消火設備

第2種消火設備

第3種消火設備

第4種消火設備

第5種消火設備

「○○消火栓設備」は第1種、「スプリンクラー設備」は第2種、
「○○消火設備」は第3種、「○○大型消火器」は第4種、
「○○小型消火器」は第5種と覚えておこう
これである程度点数は取れるぞ

補足

■**消火設備**……消火設備は、万一の製造所等の火災に備え、有効に消火するために設けるものである。
製造所等の区分・規模、危険物の品名・最大数量等に応じて、適応する消火設備の設置が義務づけられている。

■**消火設備の規模**……第1種から順に第5種まで、規模の大きな設備から小さな設備になっている。

■**旧規格の扱い**……特例省令による経過措置が終了したため、旧規格のものは消火器として認められなくなった。

◆ 危政令別表第5 ◆

消火設備の区分		対象物の区分											
		建築物その他の工作物	電気設備	第1類の危険物		第2類の危険物			第3類の危険物		第4類の危険物	第5類の危険物	第6類の危険物
				アルカリ金属の過酸化物又はこれを含有するもの	その他第一類の危険物	鉄粉・金属粉若しくはマグネシウム又はこれらのいずれかを含有するもの	引火性固体	その他の第2類の危険物	禁水性物品	その他の第3類の危険物			
第1種	屋内消火栓設備又は屋外消火栓設備	○			○		○	○		○		○	○
第2種	スプリンクラー設備	○			○		○	○		○		○	○
第3種	水蒸気消火設備又は大噴霧消火設備	○	○		○		○	○		○	○	○	○
	泡消火設備	○			○		○	○		○	○	○	○
	二酸化炭素消火設備		○				○				○		
	ハロゲン化物消火設備		○				○				○		
	粉末消火設備 りん酸塩類等を使用するもの	○	○		○		○	○			○		○
	粉末消火設備 炭酸水素塩類等を使用するもの		○	○		○	○		○		○		
	粉末消火設備 その他のもの			○		○			○				
第4種又は第5種	棒状の水を放射する消火器				○		○	○		○		○	○
	霧状の水を放射する消火器	○	○		○		○	○		○		○	○
	棒状の強化液を放射する消火器	○			○		○	○		○		○	○
	霧状の強化液を放射する消火器	○	○		○		○	○		○	○	○	○
	泡を放射する消火器	○			○		○	○		○	○	○	○
	二酸化炭素を放射する消火器		○				○				○		
	ハロゲン化物を放射する消火器		○				○				○		
	消火粉末を放射する消火器 りん酸塩類等を使用するもの	○	○		○		○	○			○		○
	消火粉末を放射する消火器 炭酸水素塩類等を使用するもの		○	○		○	○		○		○		
	消火粉末を放射する消火器 その他のもの			○		○			○				
第5種	水バケツ又は水槽	○			○		○	○		○		○	○
	乾燥砂			○	○	○	○	○	○	○	○	○	○
	膨張ひる石又は膨張真珠岩			○	○	○	○	○	○	○	○	○	○

備考
1　○印は、対象物の区分の欄に掲げる建築物その他の工作物、電気設備及び第1類から第6類までの危険物に、当該各項に掲げる第1種から第5種までの消火設備がそれぞれ適応するものであることを示す。
2　消火器は、第4種の消火設備については大型のものをいい、第五種の消火設備については小型のものをいう。
3　りん酸塩類とは、りん酸塩類、硫酸塩類その他防炎性を有する薬剤をいう。
4　炭酸水素塩類等とは、炭酸水素塩類及び炭酸水素塩類と尿素との反応生成物をいう。

2 消火の困難性

製造所等に設ける**消火設備**は、それぞれの施設の規模や形態、貯蔵・取扱いをする危険物の種類や数量をもとに定められた消火の困難性に応じて、原則として以下のように定められている。

◆ 消火の困難性の区分 ◆

区　分	消火設備
①　著しく消火が困難と認められるもの	(第1種、第2種または第3種)+第4種+第5種
②　消火が困難と認められるもの	第4種+第5種
③　①、②以外のもの(移動タンク貯蔵所を除く。)	第5種

3 所要単位と能力単位

所要単位とは、**製造所等**に対してどのくらいの消火能力をもつ設備が必要なのかを定める単位をいう。

能力単位とは、所要単位に対応する消火設備の**消火能力の基準**の単位をいう。

◆ 所要単位の算出法 ◆

製造所等の構造及び危険物		1所要単位あたりの数値
製造所 取扱所	耐火構造	延面積　100㎡
	不燃材料	〃　50㎡
貯蔵所	耐火構造	〃　150㎡
	不燃材料	〃　75㎡
屋外の製造所等		外壁を耐火構造とし、水平最大面積を建坪とする建物とみなして算定する
危　険　物		指定数量　10倍

(注1) 製造所等の面積、危険物の倍数、性状等に関係なく、消火設備が定められているものは次のとおりである。
・地下タンク貯蔵所……第5種の消火設備2個以上
・移動タンク貯蔵所……自動車用消火器のうち、粉末消火器(3.5kg以上のもの)またはその他の消火器を2個以上(アルキルアルミニウム等を貯蔵し、または取り扱うものは、さらに150ℓ以上の乾燥砂等を設けることとされている。)

(注2) 電気設備に対する消火設備は、電気設備のある場所の面積100㎡ごとに1個以上設けること。

所要単位というのは、建築物など、火災のときに消火される側の単位。それに対して、能力単位は消火する側の単位ともいえるぞ

補足

■第5種の消火器以外の消火能力単位

消火設備	種類	容量又は重量	対象物に対する能力単位：第1類から第6類までの危険物に対するもの	対象物に対する能力単位：電気設備及び第4類の危険物を除く対象物に対するもの
水バケツ又は水槽	消火専用バケツ	8ℓ		3個にて1.0
	水槽(消火専用バケツ3個付)	80ℓ		1.5
	水槽(消火専用バケツ6個付)	190ℓ		2.5
乾燥砂	乾燥砂(スコップ付)	50ℓ	0.5	
膨張ひる石又は膨張真珠岩	膨張ひる石又は膨張真珠岩(スコップ付)	160ℓ	1.0	

警報設備

警報設備

警報設備は、指定数量の10倍以上の危険物を貯蔵し、または取り扱う製造所等（移動タンク貯蔵所を除く）に火災が発生した場合、自動的に作動する**火災報知設備**その他の**警報設備**を設けなければならない。

◆ 製造所等の区分と警報設備 ◆

	製造所等の区分	貯蔵・取扱数量等	設置すべき警報設備
1	製造所 一般取扱所	・延べ面積500㎡以上のもの ・屋内で指定数量の倍数が100以上のもの（高引火点危険物を100℃未満の温度で取り扱うものを除く） ・一般取扱所の用に供する部分以外の部分を有する建築物に設けるもの（完全耐火区画のものを除く）	
2	屋内貯蔵所	・指定数量の倍数が100以上のもの（高引火点危険物を除く） ・延べ面積が150㎡を超えるもの（150㎡以内ごとの不燃区画があるもの、貯蔵危険物が第２類、第４類（引火性固体、引火点70℃未満の危険物を除く）は延べ面積500㎡以上） ・軒高が6m以上の平家建てのもの ・屋内貯蔵所の用に供する部分以外の部分を有する建築物に設けるもの（完全耐火区画のもの。貯蔵危険物第２類引火性固体、第四類引火点70℃未満の危険物を除く）	自動火災報知設備
3	屋外タンク貯蔵所	・岩盤タンク	
4	屋内タンク貯蔵所	・階層設置の屋内タンク貯蔵所で著しく消火困難に該当するもの	
5	給油取扱所	・一方開放の屋内給油取扱所 ・上部に上階を有する屋内給油取扱所	
6	前1、2、3、4、5以外（自動火災報知設備を有しない）の製造所等（移送取扱所を除く）	・指定数量の倍数が10以上のもの	次のうち1種類以上 ・消防機関に報知ができる電話 ・非常ベル装置 ・拡声装置 ・警鐘

避難設備

火災発生の際に、避難する方向をわかりやすくするために、特定の給油取扱所に避難設備の設置が義務づけられている。

◆ 製造所等の区分と設置対象 ◆

製造所等の区分	設置対象	設置すべき避難設備
給油取扱所	建築物の２階の部分を店舗等の用途に供するものまたは一方開放の屋内給油取扱所のうち給油取扱所の敷地外へ直接通ずる避難口を設ける事務所等を有するもの	誘導灯

注意

◎非常電源……誘導灯には、非常電源を備えなければならない。

誘導灯は１つあればいいというわけじゃないぞ
避難口、避難口に通じる通路、階段、出入口など設ける場所が規定されている

例題１　難　**中**　易

消火設備の区分として、誤っているものはどれか。１つ選びなさい。

(1)　屋内消火栓設備または屋外消火栓設備…第１種消火設備

(2)　スプリンクラー設備…第２種消火設備

(3)　二酸化炭素消火設備および消火粉末を放射する大型消火器…第３種消火設備

(4)　泡を放射する大型消火器…第４種消火設備

(5)　乾燥砂および膨張ひる石または膨張真珠岩…第５種消火設備

解答１ ▶ (3)

解説　大型消火器は、第４種消火設備に区分される。

7 貯蔵・取扱いの基準

まとめ＆丸暗記 この節の学習内容と総まとめ

□ 主な共通基準

① 許可もしくは届出された指定数量の倍数および品名以外の危険物を取り扱ってはならない。

② 貯留設備・油分離装置を設け、たまった危険物をあふれさせないように、随時くみ上げる。

③ くず・かす等は1日に1回以上安全な場所で処理する。

④ 有効な遮光・換気を行う。

⑤ 温度計・圧力計等を監視し、適正な温度・圧力を保つ。

⑥ 火花を発するものを使用しない。

□ 主な類ごとの基準

① 第1類（酸化性固体）……可燃物との接触もしくは混合、分解を促す物品との接近または過熱、衝撃もしくは摩擦厳禁。アルカリ金属の過酸化物にあっては、水と接触厳禁。

② 第2類（可燃性固体）……酸化剤との接触または混合を避け、火気厳禁。鉄粉・金属粉・マグネシウムにあっては、水または酸との接触厳禁。

③ 第3類（自然発火性および禁水性物質）……火気厳禁。過熱または空気との接触厳禁。

④ 第4類（引火性液体）……火気厳禁。

⑤ 第5類（自己反応性物質）……火気厳禁、衝撃・摩擦厳禁。

⑥ 第6類（酸化性液体）……可燃物との接触、分解を促す物品との接触厳禁。

消防法では、危険物を貯蔵しまたは取り扱う場合は、数量のいかんを問わず法令に定められた**技術上の基準**に従うことと規定している。その技術上の基準は危政令第24条～第27条で細かく規定されており、その内容は以下のとおりである。

① 共通基準　② 類ごとの共通基準
③ 貯蔵の基準　④ 取扱いの基準

貯留設備や油分離装置に危険物がたまると、あふれ出して下水道に流れ込んで、火災の原因となる
だから、随時くみ上げないといけないぞ

共通基準

いずれの製造所等にも共通する主な技術上の基準としては、以下のようなものがある。

① 許可もしくは届出された数量もしくは**指定数量の倍数を超える危険物**またはこれらの許可もしくは**届出された品名以外の危険物**を貯蔵し、または取り扱ってはならない。
② みだりに**火気**を使用したり、係員以外の者を出入りさせない。
③ つねに整理および清掃を行うとともに、みだりに空箱等その他不必要な物件を置かない。
④ 貯留設備または油分離装置にたまった危険物は、あふれないように**随時くみ上げる**。
⑤ 危険物のくず、かす等は**1日に1回以上**危険物の性質に応じ安全な場所、方法で処理する。
⑥ 危険物を貯蔵し、取り扱う建築物等では、当該危険物の性質に応じた有効な**遮光**(しゃこう)**または換気**を行う。

注意

◎貯蔵または取扱う危険物の品名・数量または指定数量の倍数を変更しようとする者は、変更しようとする日の10日前までに市町村長等に届け出なければならない。
勝手に変更してはならない。

⑦　危険物は、温度計・圧力計等の計器を監視し、当該危険物の性質に応じた適正な温度･湿度または圧力を保つように貯蔵し、取り扱う。

⑧　危険物が漏れ・あふれ、または飛散しないように**必要な措置**(そち)を講ずる。

⑨　危険物の変質、異物の混入等により、危険物の危険性が増大しないように**必要な措置**を講ずる。

⑩　危険物の残存している設備・機械器具・容器等を修理する場合には、安全な場所において危険物を**完全に除去**した後に行う。

⑪　危険物を容器に収納して貯蔵し、取り扱う場合は、その容器は危険物の性質に適応し､かつ破損・腐食・さけめ等がないようにする。

⑫　危険物を収納した容器を貯蔵し、取り扱う場合は、みだりに転倒・落下させたり、衝撃を加えたり、引きずったり等粗暴に取り扱ってはならない。

⑬　可燃性の液体・蒸気・ガスが漏れたり滞留(たいりゅう)したりするおそれのある場所、または可燃性の微粉が著しく浮遊するおそれのある場所では、電線と電気器具とを完全に接続し、かつ**火花を発する物**を使用しない。

⑭　保護液中に保存している危険物は、**保護液**から露出させない。

類ごとの共通基準

危険物の類ごとに共通する基準は、以下のとおりである。ただし、この基準によらないことが通常で**災害発生防止措置**を十分に講じた場合には、これらによらないことができる。

◆ 類ごとの共通基準 ◆

類別	共通基準
第１類	可燃物との接触もしくは混合、分解を促す物品との接近または過熱、衝撃もしくは摩擦を避けるとともに、アルカリ金属の過酸化物(含有するものを含む)にあっては、水との接触を避ける。
第２類	酸化剤との接触もしくは混合、炎、火花もしくは高温体との接近または過熱を避けるとともに、鉄粉、金属粉及びマグネシウム（いずれかを含有するものを含む）にあっては、水または酸との接触を避け、引火性固体にあってはみだりに蒸気を発生させない。
第３類	自然発火性物品(アルキルアルミニウム、アルキルリチウムおよび黄りん等)にあっては、炎、火花もしくは高温体との接近、過熱または空気との接触を避け、禁水性物品にあっては、水との接触を避ける。
第４類	炎、火花もしくは高温体との接近または過熱を避けるとともに、みだりに蒸気を発生させない。
第５類	炎、火花もしくは高温体との接近、過熱、衝撃または摩擦を避ける。
第６類	可燃物との接触もしくは混合、分解を促す物品との接近または過熱を避ける。

注意

◎類ごとの共通する性質

①第１類……酸化性固体

②第２類……可燃性固体

③第３類……自然発火性および禁水性物質

④第４類……引火性液体

⑤第５類……自己反応性物質

⑥第６類……酸化性液体

類ごとの共通基準は、先に学んだ「注意事項を表示した掲示板」と連動しているぞ

貯蔵の基準

製造所等において危険物を貯蔵する場合は、以下の**技術上の基準**に従わなければならない。

1 危険物以外の物品の貯蔵

貯蔵所において、危険物以外の物品を**同時貯蔵**することは、原則として許されない。ただし、以下の場合は許される。

① 屋内貯蔵所または屋外貯蔵所において別に定める危険物と危険物以外の物品とをそれぞれまとめて貯蔵し、かつ相互に**1m以上**の間隔を置く場合

② 屋外タンク貯蔵所・屋内タンク貯蔵所・地下タンク貯蔵所および移動タンク貯蔵所において、別に定める危険物と危険物以外の物品とをそれぞれ貯蔵する場合。

2 異なる類の危険物の貯蔵

類を異にする危険物は、原則として同時貯蔵することは許されない。ただし、以下の場合には、危険物を類ごとにとりまとめて**1m以上の間隔**をおけば同時貯蔵が許される。

◆ **同時貯蔵ができる場合** ◆

・第1類（アルカリ金属の過酸化物とその含有品を除く）と第5類
・第1類と第6類
・第2類と自然発火性物品（黄りんとその含有品にかぎる）
・第2類（引火性固体）と第4類
・アルキルアルミニウム等と第4類のうちアルキルアルミニウム等の含有品
・第4類（有機過酸化物とその含有品に限る）と第5類（有機過酸化物とその含有品に限る）

3 貯蔵の基準

同時貯蔵の例外を除いた主な貯蔵の基準は、以下のとおりである。

① 屋内貯蔵所および屋外貯蔵所において危険物を貯蔵する場合の容器の積み重ね高さは、**3ｍ以下**とする。ただし、第３石油類・第４石油類・動植物油類は**4ｍ以下**とし、機械により荷役（にやく）する構造の容器の場合は**6ｍ以下**とする。

② 屋外貯蔵所において危険物を収納した容器を架台で貯蔵する場合の貯蔵高さは、**6ｍ以下**とする。

③ 屋外貯蔵タンク・屋内貯蔵タンク・地下貯蔵タンク、または簡易貯蔵タンクの**計量口**は、計量時以外は閉鎖しておく。

④ 屋外貯蔵タンク・屋内貯蔵タンク・地下貯蔵タンクの元弁および注入口の弁・ふたは、危険物を出し入れするとき以外は**閉鎖**しておく。

⑤ 屋外貯蔵タンクの防油堤の水抜口は、通常閉鎖しておき、防油堤内に滞油しまたは滞水したときは**速やかに排出**する。

⑥ 移動貯蔵タンクの安全装置・配管は、さけめ・結合不良・極端な変形、注入ホースの切損等による漏れを防ぎ、タンクの底弁は使用時以外は完全に**閉鎖**しておく。

⑦ **移動タンク貯蔵所**には、完成検査済証・定期点検記録、譲渡・引渡の届出書および品名・数量または指定数量の倍数の変更の届出書を備え付けておく。

補足

■その他の貯蔵の基準

①屋内貯蔵所においては、容器に収納して貯蔵する危険物の温度が55℃を超えないよう必要な措置をとる。

②積載式移動タンク貯蔵所以外の移動タンク貯蔵所にあっては、危険物を貯蔵した状態でタンクの積み替えを行わない。

まず、同時貯蔵禁止の原則を覚えることが合格への近道だぞ

取扱いの基準

1 取扱い別の基準

製造所等における危険物の取り扱いは、前述の共通基準のほかに、以下の**技術上の基準**に従わなければならない。その主なものは、以下のとおりである。

◆ 取扱い別の基準 ◆

取扱いの別	技術上の基準
製造	ⓐ蒸留工程においては、圧力変動等により液体、蒸気またはガスが漏れないようにする。 ⓑ抽出工程においては、圧力の異常上昇が起こらないようにする。 Ⓒ乾燥工程においては、危険物の温度が局部的に上昇しない方法で過熱しまたは乾燥させる。 ⓓ粉砕工程においては、危険物の粉末が著しく浮遊し、または、それが付着した状態で機械器具を使用しない。
詰替	・危険物を容器に詰め替える場合は、危省令別表第３および第3の2で定める容器に収納するとともに防火上安全な場所で行う。
消費	ⓐ吹付塗装作業は、防火上有効な隔壁等で区画された安全な場所で行う。 ⓑ焼入れ作業は、危険物が危険な温度にならないようにする。 Ⓒ染色または洗浄作業は、換気をよくして行い、生じる廃液は適正に処置する。 ⓓバーナーを使用する場合は、逆火防止と燃料のあふれに注意する。
廃棄	ⓐ焼却する場合は、安全な場所で他に危害を及ぼさない方法で行い、必ず見張人をつける。 ⓑ危険物は、海中や水中に流出または投下しないこと。また、埋没する場合は、その性質に応じ安全な場所で行う。

「焼却による廃棄は一切行ってはならない」
「見張人をつければ、海中に流してもよい」
という選択肢は×だぞ

2 施設区分ごとの取扱いの基準

製造所等における危険物の取扱い基準は、前記のほかに施設区分ごとの基準も定められている。その主な基準は、以下のとおりである。

◎移動タンク貯蔵所では「引火点40℃」が頻出。

◆ 施設区分ごとの基準 ◆

施設区分	技術上の基準
給油取扱所	●給油するときは固定給油設備（計量機）を使用し、直接給油する。 ●給油するときは、自動車等のエンジンを停止して行い、給油空地から自動車等をはみださない。 ●移動貯蔵タンクから専用タンクまたは廃油タンク等に危険物を注入するときは、移動タンク貯蔵所を注入口の付近に停車させる。 ●物品の販売等の業務は、原則として建築物の1階のみで行う。 ●自動車等の洗浄は、引火点を有する液体の洗剤を使用しない。
販売取扱所（第1種・第2種）	●運搬容器の基準に適合した容器に収納し、容器入りのままで販売する。 ●危険物の配合は、配合室以外では行わない。
移動タンク貯蔵所	●危険物を貯蔵しまたは取り扱うタンクに危険物を注入する際は、注入ホースを注入口に緊結する。ただし、所定の注入ノズルで指定数量未満のタンクに引火点40℃以上の危険物を注入する場合は、この限りでない。 ●移動貯蔵タンクから液体の危険物を容器に詰め替えない。ただし、次により危省令別表第3の2に定める容器に詰め替える場合は、この限りでない。 ・詰め替えできる危険物は、引火点40℃以上の第4類の危険物に限られる。 ・注入ホースの先端部に手動開閉装置付の注入ノズル（開放の状態で固定する装備のものを除く）で行わなければならない。 ・安全な注油速度で行わなければならない。 ●静電気による災害の発生するおそれのある危険物を移動貯蔵タンクに注入するときは、注入管の先端を底部に着けるとともに接地して出し入れを行う。 ●引火点40℃未満の危険物を注入する場合は移動タンク貯蔵所のエンジンを停止して行う。 ●ガソリンを貯蔵していた移動貯蔵タンクに灯油または軽油を注入するとき、灯油または軽油を貯蔵していた移動貯蔵タンクにガソリンを注入するときは、静電気等による災害を防止するための措置を講ずる。

8 運搬の基準・移送の基準

まとめ＆丸暗記 この節の学習内容と総まとめ

□ 運搬容器の材質は、鋼板・アルミニウム板・ブリキ板・プラスチック・ガラス等と規定されている。

□ 運搬容器の構造は、堅固で容易に破損するおそれがなく、危険物が漏れるおそれのないものとする。

□ 運搬容器の性能は、原則として落下試験等の基準に合格したものとする。

□ 危険物の危険等級は、危険性の高い順にⅠ・Ⅱ・Ⅲと区分されている。

□ 危険物の主な積載方法

① 危険物の収納は、漏れないように密封する。

② 固体の危険物は、内容積の95%以下の収納率とする。

③ 液体の危険物は、内容積の98%以下の収納率とする。かつ55℃の温度において漏れないよう十分な空間をもたせる。

□ 危険物の混載禁止の組み合わせ（○印は混載可）

	第1類	第2類	第3類	第4類	第5類	第6類
第1類		×	×	×	×	○
第2類	×		×	○	○	×
第3類	×	×		○	×	×
第4類	×	○	○		○	×
第5類	×	○	×	○		×
第6類	○	×	×	×	×	

運搬の基準

1 運搬容器

運搬容器は、機械により荷役(にやく)する構造のものとそれ以外に分けられている。その主な容器の規定は、以下のとおりである。

① 運搬容器の**材質**は、鋼板・アルミニウム板・ブリキ板・プラスチック・ガラス等と規定されている。

② 運搬容器の**構造**は、堅固(けんご)で容易に破損するおそれがなく、かつ収納された危険物が漏れるおそれのないものでなければならない。

③ 運搬容器の構造および**最大容積**は、危険物の類別および危険等級に応じて危政令で定められている。具体的には4つに大別されるが、本書では液体の危険物を収納する容器について示すこととする。

運搬とは、移動タンク貯蔵所（タンクローリー）以外の車両等によって危険物を他所へ移すことをいう
移送とは、移動タンク貯蔵所や移送取扱所（パイプライン）によって危険物を他所へ移すことをいう

●運搬容器の構造および最大容積の大別
(1)機械による荷役構造
①固体危険物を収納
②液体危険物を収納
(2)(1)以外の構造
①固体危険物を収納
②液体危険物を収納

■運搬の基準の適用
運搬の規定は、指定数量未満の危険物についても適用される。

注意

◎運搬の場合、危険物取扱者は乗車する必要はない。乗車する場合も危険物取扱者免状は不要。一方、移送の場合は危険物取扱者が乗車し、危険物取扱者免状を携帯しなければならない。

Zoom In（ズームイン）

●指定数量に関わらず、危険物の運搬に際しては、市町村長等や消防長・消防署長に届出等の手続きは必要はない。

④　運搬容器の性能は、原則として落下試験等の基準に適合したものでなければならない。

⑤　危険物は、その危険性の程度に応じて、**危険等級Ⅰ～Ⅲに区分**されている。

◆ 危険物の危険等級 ◆

危険等級	類別	品名等
Ⅰ	第１類	第１種酸化性固体の性状を有するもの
	第３類	カリウム・ナトリウム・アルキルアルミニウム・アルキルリチウム・黄りん・第１種自然発火性物質および禁水性物質の性状を有するもの
	第４類	特殊引火物
	第５類	第１種自己反応性物質の性状を有するもの
	第６類	全て
Ⅱ	第１類	第２種酸化性固体の性状を有するもの
	第２類	硫化りん・赤りん・硫黄・第１種可燃性固体の性状を有するもの
	第３類	第３類の危険物で危険等級Ⅰに掲げる危険物以外のもの
	第４類	第１石油類・アルコール類
	第５類	第５類の危険物で危険等級Ⅰに掲げる危険物以外のもの
Ⅲ	第1･2･4類	上記以外の危険物

危険物の危険等級は当然だが、等級Ⅰが最も危険性が高く、以下等級Ⅱ、Ⅲと危険性が低くなる

◆ 液体危険物を収納する容器の基準（危政令別表第３の２）◆

運搬容器（液体用のもの）				危険物の類別および危険等級の別							
内装容器		外装容器		第3類		第4類			第5類		第6類
容器の種類	最大容量または最大収容重量	容器の種類	最大容量または最大収容重量	Ⅰ	Ⅱ	Ⅰ	Ⅱ	Ⅲ	Ⅰ	Ⅱ	Ⅰ
ガラス容器	5ℓ	木箱またはプラスチック箱（不活性の緩衝材を詰める）	75kg	○	○	○	○	○	○	○	○
	10ℓ		125kg	−	○	−	○	○	−	○	−
			225kg	−	−	−	−	○	−	−	−
	5ℓ	ファイバ板箱（不活性の緩衝材を詰める）	40kg	○	○	○	○	○	○	○	○
	10ℓ		55kg	−	−	−	−	○	−	−	−
プラスチック容器	10ℓ	木箱またはプラスチック箱（必要に応じ、不活性の緩衝材を詰める）	75kg	○	○	○	○	○	○	○	○
			125kg	−	○	−	○	○	−	○	−
			225kg	−	−	−	−	○	−	−	−
		ファイバ板箱（必要に応じ、不活性の緩衝材を詰める）	40kg	○	○	○	○	○	○	○	○
			55kg	−	−	−	−	○	−	−	−
金属製容器	30ℓ	木箱またはプラスチック箱	125kg	○	○	○	○	○	○	○	○
			225kg	−	−	−	−	○	−	−	−
		ファイバ板箱	40kg	○	○	○	○	○	○	○	○
			55kg	−	○	−	○	○	−	○	−
−	−	金属製容器（金属製ドラムを除く）	60ℓ	−	○	−	○	○	−	○	−
−	−	プラスチック容器（プラスチックドラムを除く）	10ℓ	−	○	−	○	○	−	○	−
			30ℓ	−	−	−	−	○	−	○	−
−	−	金属製ドラム（天板固定式のもの）	250ℓ	○	○	○	○	○	○	○	○
−	−	金属製ドラム（天板取外し式のもの）	250ℓ	−	−	−	○	○	−	−	−
−	−	プラスチックドラムまたはファイバドラム（プラスチック内容器付きのもの）	250ℓ	−	○	−	−	○	−	○	−

備考
① ○印は、危険物の類別および危険等級の別の項に掲げる危険物には、当該各欄に掲げる運搬容器がそれぞれ適応するものであることを示す。
② 内装容器とは、外装容器に収納される容器であって危険物を直接収納するためのものをいう。
③ 内装容器の容器の種類の項が空欄のものは、外装容器に危険物を直接収納することができ、またはガラス容器、プラスチック容器もしくは金属製容器の内装容器を収納する外装容器とすることができることを示す。

2 積載方法

危険物の主な積載（せきさい）方法の規定は、以下のとおりである。

① 危険物の積載時には、原則として運搬容器に収納しなければならない。その際、以下の措置（そち）をとる。

ⓐ 危険物の収納は、温度変化等により危険物が漏れないように密封して収納する。

ⓑ 固体の危険物は、**内容積の95%以下**の収納率とする。

ⓒ 液体の危険物は、**内容積の98%以下**の収納率とする。かつ、**55℃の温度**において漏れないよう十分な空間容積をもたせて収納する。

② 運搬容器の外部には、以下の内容を表示し積載しなければならない。

ⓐ 危険物の品名・危険等級・化学名

ⓑ 危険物の数量

ⓒ 収納する危険物に応じた以下の注意事項

◆ 収納する危険物の注意事項 ◆

類別等		品名	注意事項
第1類		アルカリ金属の過酸化物、この含有品	火気・衝撃注意 可燃物接触注意 禁水
		その他のもの	火気・衝撃注意 可燃物接触注意
第2類		鉄粉、金属粉、マグネシウム、これらの含有品	火気注意 禁水
		引火性固体	火気厳禁
		その他のもの	火気注意
第3類	自然発火性物品	すべて	空気接触厳禁 火気厳禁
	禁水性物品	〃	禁水
第4類		〃	火気厳禁
第5類		〃	火気厳禁 衝撃注意
第6類		〃	可燃物接触注意

③ 危険物は、運搬容器等が転落・落下・転倒・破損しないように積載する。

④ 運搬容器は、収納口を上方に向けて積載する。

⑤ 運搬容器の積み重ね高さは、3m以下とする。

⑥ 以下の危険物は、その性質に応じて有効に被覆する等必要な措置を講じる。

◆ 危険物の種類と必要な措置 ◆

危険物の種類	必要な措置
第1類の危険物、自然発火性物品、第4類の特殊引火物、第5類の危険物、第6類の危険物	日光の直射を避けるため遮光性の被覆で覆う。
第1類の危険物のうちアルカリ金属の過酸化物もしくはこれを含有するもの、第2類の危険物のうち鉄粉、金属粉、マグネシウムもしくはこれらのいずれかを含有するものまたは禁水性物品	雨水の浸透を防ぐため防水性の被覆で覆う。
第5類の危険物のうち55℃以下の温度で分解するおそれのあるもの	保冷コンテナに収納する等適正な温度管理をする。

⑦ 同一車両において異なった類の危険物を積載し、運搬する場合においては、以下のように**混載禁止**(こんさい)の組み合わせがある。

Zoom In(ズームイン)

●表示する化学名……第4類危険物のうち、水溶性のものは「水溶性」と表示する。

●表示する注意事項の例(メチルアルコール)
- 第4類アルコール類
- 危険等級Ⅱ
- 水溶性
- 40ℓ
- 火気厳禁

◎危険物は高圧ガスとの混載も原則として禁止されている。ただし、内容積120ℓ未満の容器に充填された場合は、混載が認められている。

◆ 混載禁止組み合わせの可、不可 ◆

	第1類	第2類	第3類	第4類	第5類	第6類
第1類		×	×	×	×	○
第2類	×		×	○	○	×
第3類	×	×		○	×	×
第4類	×	○	○		○	×
第5類	×	○	×	○		×
第6類	○	×	×	×	×	

(注) ○印は混載可、×印は混載不可

3 運搬方法

指定数量以上の危険物を運搬する場合には、以下の規制がある。

① 車両の前後の見やすい位置に、一定の**標識**を掲げなければならない。

② 休憩等のために車両を一時停止させるときは、安全な場所を選び、かつ運搬する**危険物の保安**に注意する。

③ 運搬する危険物に適応する**消火設備**を設けなければならない。

移送の基準

移送とは、移動タンク貯蔵所（タンクローリー）や移送取扱所（パイプライン）により、危険物を他所に移すことをいう。その場合には、以下の基準がある。

① 危険物を移送する移動タンク貯蔵所には、移送する危険物を取り扱うことができる資格を持った**危険物取扱者が乗車**するとともに、危険物取扱者**免状を携帯**しなければならない。

② 危険物を移送する者は、移送の開始前に移動貯蔵タンクの底弁・マンホール・注入口のふた、消火器等の点検を十分に行う。

③ 長時間にわたるおそれがある移送の場合には、原則として**2名以上の運転要員**を確保しなければならない。

④ 危険物を移送する者は、移動タンク貯蔵所からの漏油等災害等発生のおそれのある場合は、応急措置（そち）を講じるとともに**消防機関等**に通報しなければならない。

⑤ **アルキルアルミニウム等**を移送する場合は、移送経路等を記載（きさい）した書面を関係消防機関に送付するとともに、書面の写しを携帯し、書面に記載された内容に従わなければならない。

⑥　移動タンク貯蔵所には、完成検査済証・定期点検記録、譲渡・引渡の届出書および品名・数量、または指定数量の倍数の変更届出書を備え付けておかなければならない。

「危険物の移送に際しては、移送経路等を必ず消防機関に届出なければならない」「移送中一時停止する場合は、所轄消防長の承認を受けた場所で行わなければならない」といった問題がよく出るが、もちろん×だ

移送経路等を記載した書面を消防機関に送付しなければならないのは、アルキルアルミニウム等を移送する場合だぞ

注意

◎混載禁止の例外……危険物を同一車両に混載する場合の禁止の組み合わせ規定は、指定数量の10分の１以下の危険物には適用されない。

補足

■長時間にわたる移送

連続運転時間が４時間を超える移送、１日当たり９時間を超える移送のこと。

■一時停止

休憩・故障等の理由で移動タンク貯蔵所を一時停止させるときは、安全な場所を選ばなければならない。

例題１　難　中　易

製造所等における危険物の貯蔵または取扱いのすべてに共通する技術上の基準として、誤っているものはどれか。１つ選びなさい。

(1)　製造所等には、係員以外の者をみだりに出入りさせない。

(2)　製造所等では、許可または届出による品名以外の危険物を貯蔵することはできないが、数量の変更は自由である。

(3)　危険物のくず、かす等は、１日１回以上、危険物の性質に応じて安全な場所で廃棄その他の適当な処置を講ずる。

(4)　製造所では、みだりに火気を使用しない。

(5)　危険物を貯蔵しまたは取り扱う場合は、危険物が漏れ、あふれ、または飛散しないように必要な措置を講ずる。

解答１ ▶ **(2)**

解説　製造所等における「貯蔵・取扱いの共通基準」では、許可または届出した数量を超えてもしくはその品名以外の危険物を貯蔵したり、取り扱ってはならないと規定している。

9 義務違反に対する措置・事故時の措置

まとめ＆丸暗記 この節の学習内容と総まとめ

□ 主な義務違反と措置命令

① 危険物の貯蔵または取扱いが技術上の基準に違反→貯蔵、取扱基準遵守命令

② 製造所等の位置、構造および設備の技術上の基準に違反→施設の基準維持命令

③ 指定数量以上の危険物について、仮貯蔵・仮取扱いの許可を受けない→危険物の除去命令、災害防止に必要な措置命令

④ 位置、構造または設備を無許可で変更

⑤ 完成検査済証の交付前に使用または仮使用の承認を受けない

⑥ 屋外タンク貯蔵所・移送取扱所の保安の検査を受けない

⑦ 定期点検の実施、記録の作成、保存がなされない

※④～⑦は→許可の取消しまたは使用停止命令

⑧ 危険物保安統括管理者を定めない、またはその者に統括管理の業務をさせない→使用停止命令

⑨ 危険物保安監督者を定めない、またはその者に保安業務をさせない→使用停止命令

⑩ 危険物保安統括管理者、同保安監督者の解任命令に違反した→使用停止命令

□ 走行中の移動タンク貯蔵所の停止命令は、警察官と消防吏員ができる

義務違反に対する措置

1 義務違反と措置命令

製造所等の所有者、管理者または占有者は、以下に該当する事項または事案が発生した場合には、市町村長等から措置(そち)命令を受けることがある。

◆ 措置命令とその該当事項 ◆

措置命令の種類	該当事項
危険物の貯蔵・取扱基準遵守命令	製造所等においてする危険物の貯蔵または取扱いが技術上の基準に違反しているとき。
危険物施設の基準維持命令(修理、改造または移転の命令)	製造所等の位置、構造及び設備が技術上の基準に違反しているとき(製造所等の所有者、管理者または占有者で権原を有する者に対して行う)。
製造所等の緊急使用停止命令(一時使用停止または使用制限)	公共の安全の維持または災害の発生の防止のため緊急の必要があると認めたとき。
危険物保安統括管理者または危険物保安監督者の解任命令	危険物保安統括管理者もしくは危険物保安監督者が消防法もしくは消防法に基づく命令の規定に違反したとき、またはこれらの者にその業務を行わせることが公共の安全の維持もしくは災害の発生の防止に支障を及ぼすおそれがあると認めるとき。
予防規程変更命令	火災の予防のため必要があるとき。
危険物施設の応急措置命令	危険物の流出その他の事故が発生したとき。
移動タンク貯蔵所の応急措置命令	管轄する区域にある移動タンク貯蔵所について、危険物の流出その他の事故が発生したとき。

2 無許可貯蔵等の危険物に対する措置命令

市町村長等は、指定数量以上の危険物について、仮貯蔵・仮取扱いの承認または製造所等の許可を受けずに貯蔵し、または取り扱っている者に対し、危険物の除去、災害防止のための必要な措置（そち）について命令することができる。

使用停止命令に該当しないものを選ぶ問題は頻出
「危険物取扱者が○○した（しない）場合」「予防規程を○○した（しない）場合」「市町村長等に○○の報告を怠った場合」などがよく出題される
もちろん、これらは該当しないぞ

3 許可の取消しと使用停止命令

製造所等の所有者、管理者または占有者は、以下の１つに該当する場合は、**市町村長等**から設置許可の取消し、または期間を定めて施設の使用停止命令を受けることがある。

◆ 許可の取消しと使用停止命令の該当事項 ◆

該　当　事　項
①　位置、構造または設備を無許可で変更したとき。
②　完成検査済証の交付前に使用したときまたは仮使用の承認を受けないで使用したとき。
③　位置、構造、設備に係る措置命令に違反したとき。
④　政令で定める屋外タンク貯蔵所または移送取扱所の保安の検査を受けないとき。
⑤　定期点検の実施、記録の作成、保存がなされないとき。

また、製造所等の所有者、管理者または占有者は、以下の１つに該当する場合は、**市町村長等**から期間を定めて施設の使用停止命令を受けることがある。

全て命令を出すのは市町村長等で、命令を受けるのは製造所等の所有者、管理者または占有者なのだ

◆ 使用停止命令の該当事項 ◆

該　当　事　項
① 危険物の貯蔵、取扱い基準の遵守命令に違反したとき。ただし、移動タンク貯蔵所については、市町村長の管轄区域において、その命令に違反したとき。
② 危険物保安統括管理者を定めないときまたはその者に危険物の保安に関する業務を統括管理させていないとき。
③ 危険物保安監督者を定めないときまたはその者に危険物の取扱作業に関して保安の監督をさせていないとき。
④ 危険物保安統括管理者または危険物保安監督者の解任命令に違反したとき。

4 立入検査等

① 立入検査

市町村長等は、危険物による火災防止のために必要があると認めるときは、指定数量以上の危険物を貯蔵しまたは取り扱っていると認められるすべての場所の所有者、管理者または占有者に対して、以下の命令等を行うことができる。

ⓐ 資料の提出もしくは報告を求める。

ⓑ **消防吏員**(りいん)をその場所に立ち入らせ、検査・質問を行う。

ⓒ 危険物の収去をさせる。

使用停止命令に該当しないものには、「危険物施設保安員を定めるべき施設で定めていなかった場合」「危険物の貯蔵、取扱いを休止して、その届出を怠った場合」「危険物施設の譲渡等の届出を怠った場合」というのもあるよ

② 走行中の移動タンク貯蔵所の停止

消防吏員または警察官は、火災予防のためとくに必要があると認めるときは、走行中の移動タンク貯蔵所を停止させ、乗車している危険物取扱者に対して、危険物取扱者免状の提示を求めることができる。

「走行中の移動タンク貯蔵所の停止を命じることができるのは消防吏員と消防署長」は×になるぞ
消防吏員と警察官だからな

5 罰則規定

指定数量以上の危険物を貯蔵し取り扱う場合は、災害発生の危険および公共の安全に対する影響が大きいことから、法令上各種の技術上の基準が定められている。

これらの法令に違反した場合は、以下のような罰則が規定されている。なお、重大な法令違反に対しては、行為者のみではなく、その法人等に対しても罰則の適用が行われる**両罰規定**がある。

両罰規定……これは消防法第45条にある規定である
「指定数量以上の危険物の無許可での貯蔵・取扱い」の場合は、両罰販売規定が適用されて、法人に対して3,000万円以下の罰金刑に処せられる

◆ 主な違反内容と罰則内容 ◆

違反内容	罰則内容
指定数量以上の危険物の無許可貯蔵・取扱い	1年以下の懲役または100万円以下の罰金
製造所等における危険物の貯蔵・取扱いの基準違反	3月以下の懲役または30万円以下の罰金
製造所等の無許可設置、位置・構造または設備の無許可変更	6月以下の懲役または50万円以下の罰金
製造所等の完成検査前使用	〃
製造所等の譲渡・引渡の届出義務違反	30万円以下の罰金または拘留
危険物の品名、数量または指定数量の倍数変更の届出義務違反	〃
製造所等の使用停止命令違反	6月以下の懲役または50万円以下の罰金
製造所等の緊急使用停止命令または処分違反	〃
製造所等の廃止の届出義務違反	30万円以下の罰金または拘留
危険物保安統括管理者の選解任届出義務違反	〃
危険物保安監督者の選任義務違反	6月以下の懲役または50万円以下の罰金
危険物保安監督者の選解任届出義務違反	30万円以下の罰金または拘留
製造所等における危険物取扱者以外の者の危険物の取扱い（甲種または乙種危険物取扱者の立会いがない場合）	6月以下の懲役または50万円以下の罰金
危険物取扱者免状返納命令違反	30万円以下の罰金または拘留

違反内容	罰則内容
予防規程の作成認可の規定違反（未作成時または作成もしくは変更の無認可時における危険物の貯蔵または取扱い）	6月以下の懲役または50万円以下の罰金
予防規程の変更命令違反	〃
保安検査受認義務違反	30万円以下の罰金または拘留
点検記録の作成及び保存の義務違反	〃
危険物の運搬基準違反	3月以下の懲役または30万円以下の罰金
危険物取扱者の無乗車による危険物の移送	〃
危険物取扱者免状携帯義務違反	30万円以下の罰金または拘留
製造所等の応急措置命令違反	6月以下の懲役または50万円以下の罰金
製造所等の立入・検査等の拒否、または資料提出命令等違反	30万円以下の罰金または拘留
移動タンク貯蔵所の停止命令等違反	〃
製造所等における危険物の流出等による火災危険の発生（故意）	3年以下の懲役または300万円以下の罰金
上記による致死傷	7年以下の懲役または500万円以下の罰金
製造所等における危険物の流出等による火災危険の発生（過失）	2年以下の懲役・禁錮または200万円以下の罰金
上記による致死傷	5年以下の懲役・禁錮または300万円以下の罰金

色アミ□のある項目には両罰規定の適用がある。

事故時の措置

① 事故発生時の応急措置

製造所等の所有者、管理者または占有者は、製造所等において危険物の流出その他の事故が発生したときは、ただちにその応急の措置を講じなければならない。

市町村長等は、その応急措置が講じられていないと認めたときは、所有者等に対して応急の措置を講じるよう命令することができる。

② 事故発見者の通報義務

製造所等での事故発見者は、ただちに消防署、**市町村長の指定した場所**、**警察**または**海上警備救難機関等**に通報しなければならない。

例題1 難 **中** 易

消防法違反とこれに対する命令の組み合わせで誤っているものはどれか。1つ選びなさい。

(1) 完成検査を受けないで製造所等を使用した……許可の取消しまたは製造所等の使用停止命令。

(2) 製造所等で危険物の貯蔵・取扱いの基準に違反した……危険物の貯蔵・取扱基準の遵守命令。

(3) 危険物の貯蔵・取扱基準の遵守命令に違反した……予防規程の変更命令。

解答1 ▶ (3)

解説　危険物の貯蔵・取扱基準の遵守命令違反は、ただちに使用停止命令になる。予防規程の変更命令は、火災の予防のため必要があるとき市町村長等から発令される。

(4) 製造所等が位置・構造・設備の基準に適合しない……製造所等の修理・改造・移転命令。
(5) 公共の安全の維持または災害の発生の防止のため、緊急の必要があるとき……製造所等の一時使用停止または使用制限命令。

例題 2 難 中 **易**

危険物保安統括管理者および危険物保安監督者の解任命令を出すことができるものはだれか。正しいものを１つ選びなさい。

(1) 都道府県知事　(2) 市町村長等
(3) 消防庁長官　(4) 消防長
(5) 消防署長

解答 2 ▶ (2)
解説 基本的には、ほとんどの命令や諸手続き先は市町村長等である。

例題 3 **難** 中 易

製造所等の許可の取消しに該当しないのはどれか。１つ選びなさい。

(1) 許可なく製造所の位置と構造を変更したとき。
(2) 完成検査を受けないで屋内貯蔵所を使用したとき。
(3) 製造所に対する修理・改造命令に従わなかったとき。
(4) 給油取扱所の定期点検を実施しなかったとき。
(5) 一般取扱所の予防規程を変更しなかったとき。

解答 3 ▶ (5)
解説 (5)の場合は、予防規程の変更命令に該当する。したがって、許可取消しの対象ではない。

第2章
基礎的な物理学 および基礎的な化学

1 基礎物理学

まとめ＆丸暗記　この節の学習内容と総まとめ

□　物質の三態とは、固体・液体・気体の状態変化をいう。
□　固体とは、原子・分子・イオンが規則的に配列した状態。
□　液体とは、粒子が互いに接してはいるが固定されていない状態。
□　気体とは、粒子がばらばらに離れて運動している状態。
□　常温、常圧とは、20℃で約1気圧の状態をいう。
□　融解は、固体→液体。凝固は、液体→固体。気化（蒸発）は、液体→気体。凝縮は、気体→液体。昇華は、固体⇄気体。

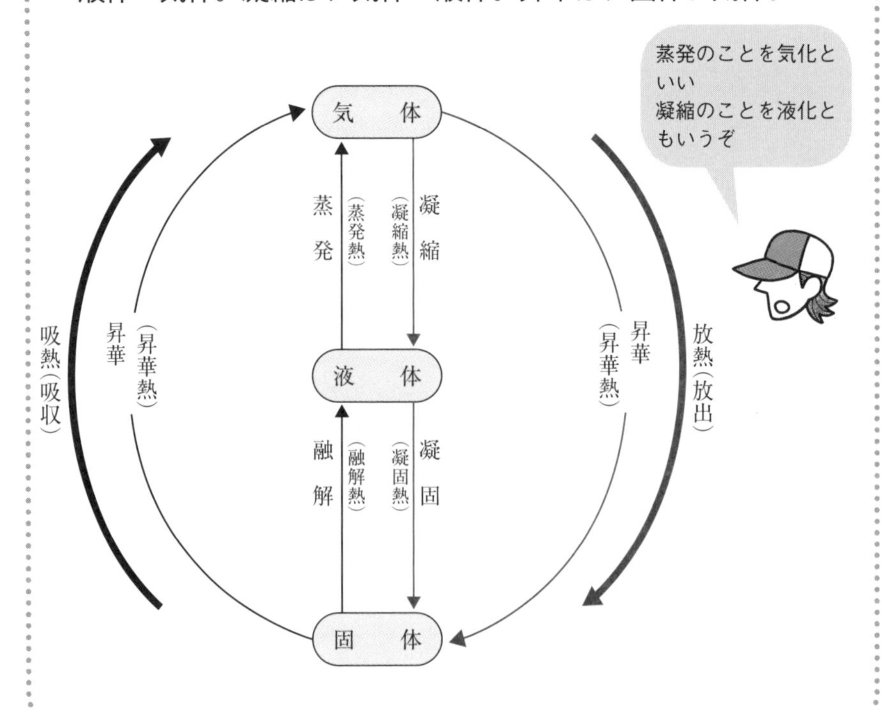

□　沸騰とは、液体の表面からばかりではなく、内部からも激しく気化が起こる現象をいう。

□　蒸発とは、液体がその表面から気体になる現象をいう。

□　凝固熱と融解熱は等しい。

□　潮解とは、物質が空気中の水分を吸収して溶解する現象をいう。

□　風解とは、物質の結晶水が自然に空気中に失われていく現象をいう。

□　4℃の純粋な水の密度は1g／㎤。比重は1である。

□　空気は、窒素約80%、酸素が約20%の混合物である。

□　比重＝$\dfrac{\text{物質の質量}}{\text{同体積の水の重さ}}$

□　蒸気比重＝$\dfrac{\text{蒸気の重さ}}{\text{同体積の空気の重さ}}$

□　比熱とは、物質1gを1K（℃）上昇させるのに必要な熱量をいう。単位はJ／g・℃

□　熱量＝比熱×質量×温度差

□　熱容量=比熱×質量

□　ジュールとは、国際単位系で熱量を表す単位。単位はJ

□　絶対温度（K）とは、1気圧のもとで水の融点273K、水の沸点373Kとする温度表示。絶対零度は−273℃。

K＝セ氏温度＋273

□　熱の移動には、伝導・対流・ふく射（放射）がある。

□　熱膨張には、線膨張（固体)・体膨張（固体・液体・気体）がある。

□　体膨張率は線膨張率の約3倍である。気体の膨張率は、1/273

□　ボイルの法則では、温度を一定としたとき体積は圧力に反比例する。体積×圧力＝一定

□ シャルルの法則では、圧力を一定にしたとき体積は絶対温度に比例する。$\frac{\text{体積}}{\text{絶対温度}}=\text{一定}$

□ ボイル・シャルルの法則では、質量が一定の気体の体積は圧力に反比例し、絶対温度に比例する。$\frac{\text{圧力}\times\text{体積}}{\text{絶対温度}}=\text{一定}$

□ アボガドロの法則では、すべての気体は同温・同圧のもとでは、同体積内に同数の分子をふくむ。

□ mol（モル）とは、物質量の単位。

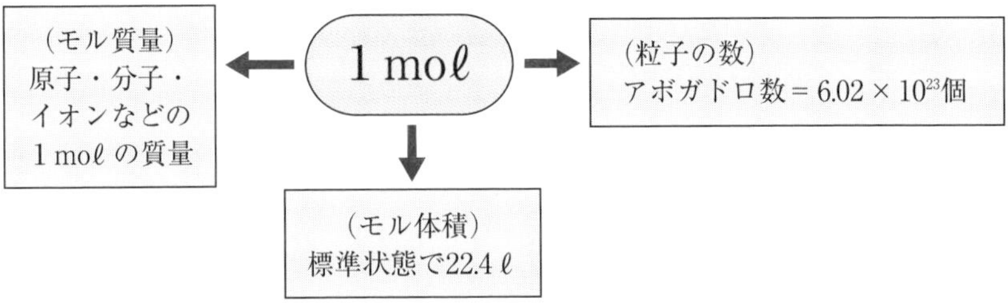

1 molℓ

（モル質量）
原子・分子・イオンなどの1 molℓ の質量

（粒子の数）
アボガドロ数＝6.02×10^{23}個

（モル体積）
標準状態で22.4 ℓ

□ オームの法則とは、導体を流れる電流は導体の両端に加えた電圧に比例し、導体の抵抗に反比例するという基本公式。

$$\text{電流}(I)=\frac{\text{電圧}(E)}{\text{抵抗}(R)} \longrightarrow \text{電圧}(E)=\text{電流}(I)\times\text{抵抗}(R)$$

□ ジュールの法則とは、導体に電気が流れたときに発生する熱をジュール熱といい、電圧･電流･時間との関係を表す公式。

$$\text{ジュール熱}(Q)=\text{電圧}(E)\times\text{電流}(I)\times\text{時間}(t)$$

□ 絶対湿度とは、１気圧の空気１㎥中の飽和水蒸気量（g）。

□ 相対湿度とは、ある時点での実際に空気中にふくまれている水蒸気量と、その温度の空気がふくみ得る最大水蒸気量との割合（%）。

□ 実効湿度とは、物体自体に影響している過去の湿度をも考慮した湿度をいう。

物質の状態変化

1 物質の三態

一般に、ある物質がそれは固体であるとか、液体であるとか、気体であるとかいうが、厳密にいえば、「ふつうの状態では」という前提条件が付いている。というのも、物質は置かれた環境の温度や圧力によってその姿を変えるからである。

例えば、液体である水は条件によっては固体の氷になったり、気体の水蒸気になったりする。

このように、物質はそれを取り巻く環境の温度や圧力という諸条件が変われば、**固体・液体・気体**の状態を呈するようになる。これを**物質の三態変化**といい、この三態の間の物理変化を**状態変化**という。

◆ 水の三態変化（1気圧の場合）◆

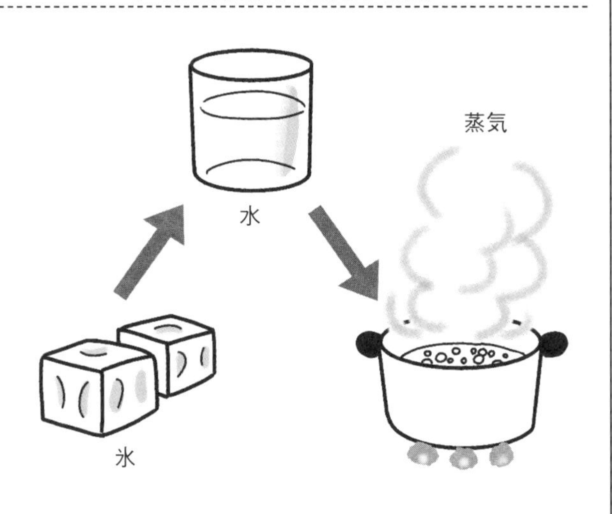

●三態変化……ほとんどの物質は三態変化をするが、木材・石炭・油脂などは、加熱すると熱分解による化学変化が起こり、結果として三態変化はしない。

◎ふつうの状態……一般には20℃、1気圧（1013ヘクトパスカル）を指して常温常圧という。

三態の「態」とは、様態とか状態のことだな

2 物質の三態変化

物質をつくり上げている最小の単位は**原子**であり、その原子がいくつか結合したものが**分子**である。そして、一般に分子がその物質の本来の性質を保っている最小の単位とされている。

物質を構成している原子・分子・イオンなどの粒子は絶えず運動しており、**分子間力**や電気的な引力などによって互いに集まろうとしている。これを**粒子の熱運動**という。

① **固体**

粒子が互いの引力によって規則正しく並んでいる状態で、一定の形を保ち、容易に体積や形態は変化しない結晶状態。

② **液体**

固体の温度が上昇するにつれて各分子の運動が激しくなり、粒子が不規則に集合している状態で、流動性があり、一定の形を保つことはできない状態。体積はほぼ一定。

③ **気体**

液体の温度が上昇するとそれに応じて分子運動はさらに激しくなり、粒子がばらばらになって自由に飛び回っている状態で、一定の形や体積を保てない。

◆ 三態中における分子の集合状態 ◆

固 体
液 体
気 体
加熱
冷却
加熱
冷却
分子は強く引き合って、規則正しく並んでいる。わずかに振動している。
分子はゆるく引き合って、ゆっくり運動している。
分子はまったく引き合っておらず、自由に運動している。

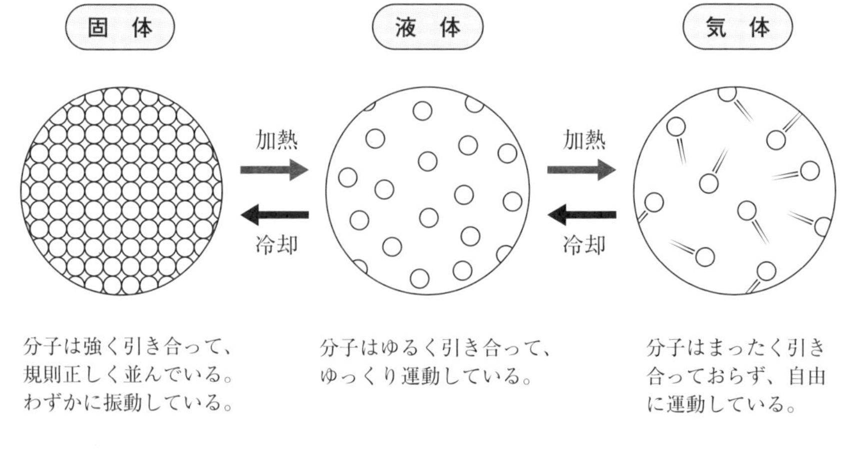

◆ 熱と三態変化の関係 ◆

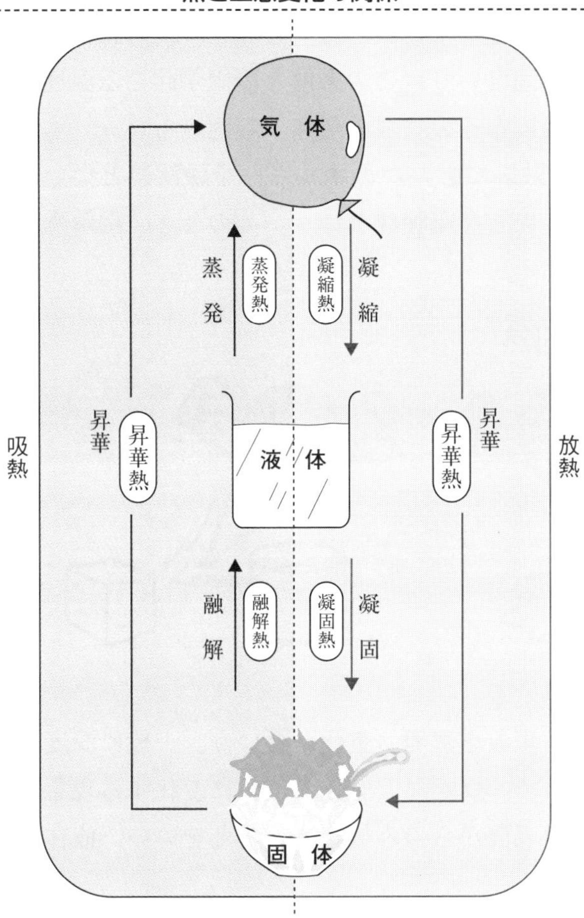

凝縮のことを液化ともいい、蒸発のことを気化ともいうぞ

補足

■物質の本来の性質を決定しているのは一般には分子といえるが、中には原子が物質の性質を決定しているものもある。
例えば、水の最小単位は分子で、三態変化してもH_2Oは変化しない。しかし、金属は原子レベルまで分解してもその性質は変化しないので、その最小単位は原子とされる。

●結合(固体)の種類
①共有結合……原子がもつ電子をいくつか共有する結合。
②イオン結合……陽イオンと陰イオンが電気的引力によって結びつく結合。
③金属結合……自由電子が全原子に共有されている結合。

(1) 融解と凝固

物質が固体から液体に変化する現象を**融解**という。反対に、液体が固体に変化する現象を**凝固**という。この融解と凝固が起こる温度は物質ごとに一定で、この温度をその物質の**融点**・**凝固点**という。

[融解熱と凝固熱]　融解に必要なエネルギーを**融解熱**といい、凝固で放出されるエネルギーを**凝固熱**という。このとき、融解熱と凝固熱は等しい関係にある。

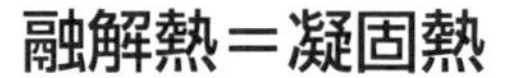

(2) 蒸発（気化）と凝縮

液体が気体に変化する現象を**蒸発（気化）**という。一般に温度が高くなると蒸発は活発になる。反対に、気体が液体に変化する現象を**凝縮**という。蒸発は液体の表面からのみ気化することをいい、液体の内部からの気化を**沸騰**（ふっとう）という。

この沸騰が起こる温度を沸点といい、外界の圧力によって変化することはよく知られている。

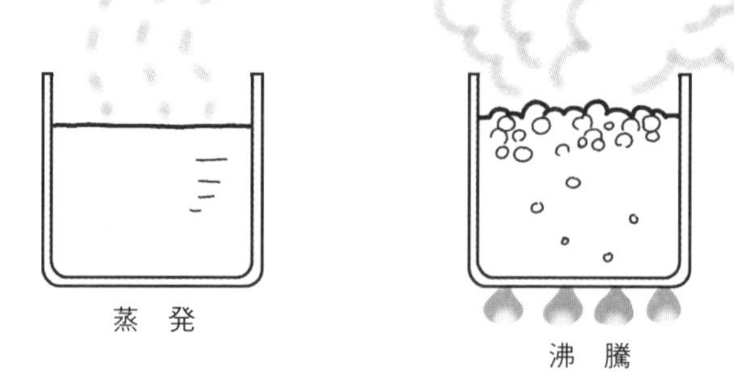

[蒸発熱と凝縮熱]　液体が蒸発（気化）するときに吸収するエネルギーを**蒸発（気化）熱**といい、反対に気体が液体に変化するときに放出されるエネルギーを**凝縮熱**という。このとき、蒸発（気化）熱と凝縮熱は等しい関係にある。

蒸発（気化）熱＝凝縮熱

補足

■熱の放出というと、物質みずから能動的に熱を外に出すような印象を受けるが、これは物質の外部温度が下がることによって、物質内の熱が奪われるという受動的な現象である。

(3) 昇華

固体から液体の状態を経ないで直接気体に変化する現象、また反対に気体から直接固体に変化する現象を**昇華**という。昇華するときに吸収、あるいは放出するエネルギーを**昇華熱**といい、次のように考えることができる。

昇華熱≒融解熱＋気化熱 ≒凝固熱＋凝縮熱

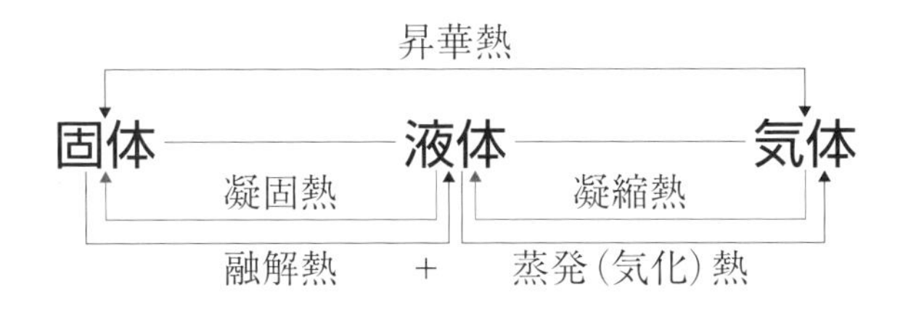

下の表を見ると、水の気化熱は2256.3 J／gとある。つまり、水が最も冷却効果があるということさ

◆ 主な物質の気化熱 ◆

物質	沸点（℃）	気化熱（J／g）	物質	沸点（℃）	気化熱（J／g）
水	100	2256.3	アセトン	56.3	521.2
ジエチルエーテル	34.5	351.6	二硫化炭素	46.3	351.6
エチルアルコール（エタノール）	78.3	858.1	一臭化三ふっ化エタン	−57.7	118.5
ベンゼン（ベンゾール）	80	393.5			

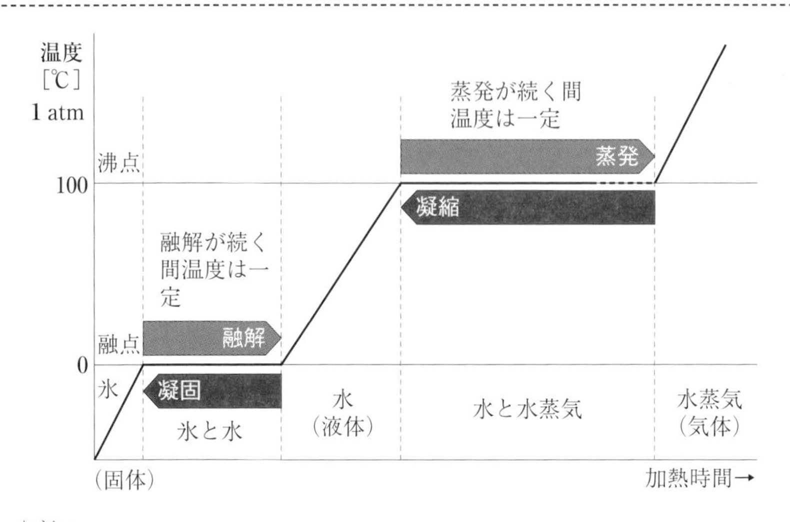

(4) 潮解と風解

固体である物質が、空気中の水分を吸収して溶解する現象を**潮解**という。また反対に、結晶水を含んだ物質が空気中に放置されることによって、自然に結晶水の一部または全部が失われる現象を**風解**という。

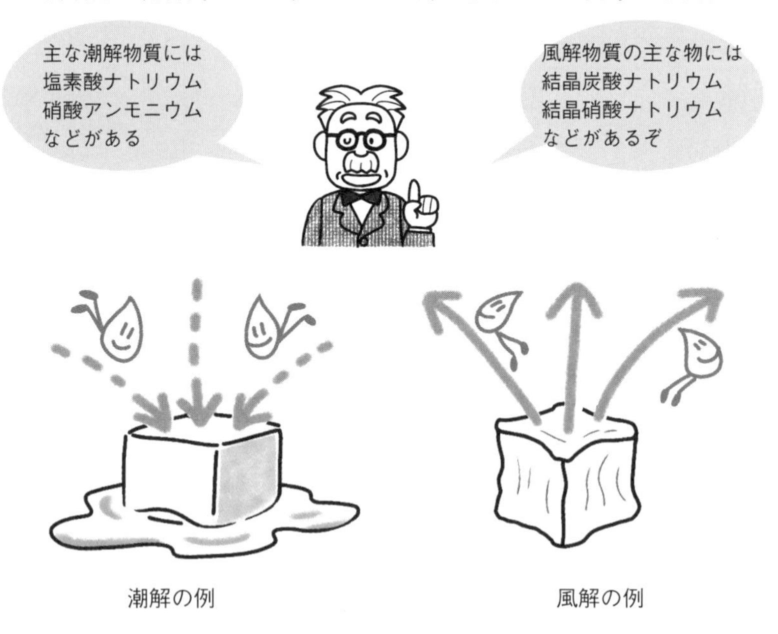

潮解の例　　風解の例

水の性質

(1) 水の組成

一般に水といった場合には、その中には目に見えない多くの物質が溶け込んでいて、混じり気のない純粋なH_2Oではない。物理・化学でいう水とは純粋なH_2Oのことをいい、**電気分解**すると水素と酸素に分解される。その**体積比は水素2、酸素1**とから成り立っている。

① **水素**……無味、無臭で、気体のうちで最も軽く、可燃性である。空気または酸素と混合したものに点火すると爆発する。

② **酸素**……無味無臭で、それ自体は燃えないが支燃性が強い。

(2) 水の物理的性質

水は氷・水・水蒸気と三態変化し、氷になるとその体積が増加する。しかし、水は液体のままでも温度によって体積が変化しており、**4℃で体積が最小となり、1㎤の質量は1g**である。

◆ 水の温度と体積の関係 ◆

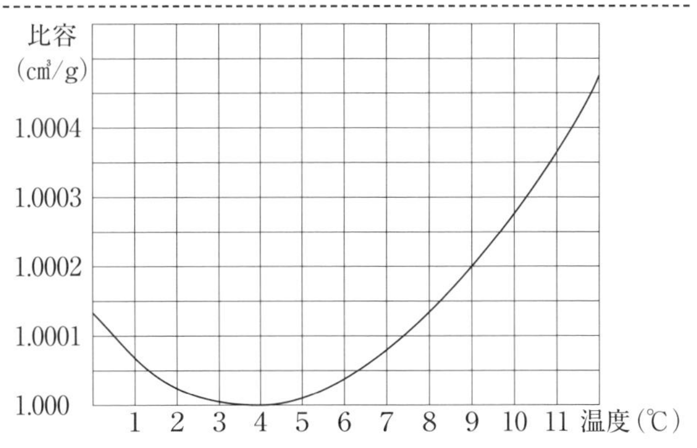

◎水の物理的性質

沸点	100℃(1気圧)
融点	0℃(1気圧)
密度(水)	1.00g/㎤(4℃)
(氷)	0.917g/㎤(0℃)
比熱	4.19J/g・℃(15℃) (1cal/g・K)
蒸発熱	40.7kJ/mol(100℃) (539cal/g)

◎水の温度と比重

温度℃	比重(4℃の水=1.00000とする)
−10	0.997935
0	0.9998676
4	1.0000000
10	0.9997281
20	0.9982336
40	0.9922473
60	0.98327
80	0.97183
100	0.95838

水は有効な消火剤だ。水の蒸発熱や熱容量は大きいため冷却効果が大で、水蒸気になると体積が約1,700倍になることから窒息効果がある

比重と密度

1 固体または液体の比重と密度

固体または液体の密度とそれと同体積の１気圧、４℃における純粋な水の密度との比を**比重**という。比重に単位はない。

例えば、比重が１より大きい物質は同体積の水より重いので水に沈み、１より小さければ水より軽いので水に浮かぶ。

$$\textbf{物質の比重} = \frac{\text{物質の質量}}{\text{物質と同体積１気圧、４℃の水の質量}}$$

このことから、比重も密度も単位体積あたりの重量と考えることができるので、比重は密度から単位を省略した表記ともいえる。

$$\textbf{比重(密度)} = \frac{\text{重量}}{\text{体積}} \cdots\cdots\cdots\cdots \text{ⓐ}$$

$$\textbf{重量} = \text{比重（密度）} \times \text{体積} \cdots\cdots\cdots\cdots \text{ⓑ}$$

$$\textbf{体積} = \frac{\text{重量}}{\text{比重(密度)}} \cdots\cdots\cdots\cdots \text{ⓒ}$$

というように式を変形することができる。

ガソリンや灯油は非水溶性で比重は１より小さい よって、水に浮く
氷の比重は１より小さい 20℃の水、100℃の水の比重は１より小さい

2 気体の比重と密度

気体や蒸気の比重は、常温常圧（20℃、1気圧）ではなく、0℃、1気圧における1ℓの重さ（約1.293g）との比で表す。これを**蒸気比重**という。また、気体は液体や固体よりも軽いため、気体の密度は通常1ℓが何g（g/ℓ）かで表される。

これを式に表すと、以下のようになる。

$$\textbf{蒸気比重} = \frac{\text{蒸気密度}(g/\ell\text{、}0℃\text{、}1\text{気圧})}{\text{空気の密度}(g/\ell\text{、}0℃\text{、}1\text{気圧})} \fallingdotseq \frac{\text{蒸気の分子量}}{\text{空気の分子量}}$$

変形すると、

$$\textbf{蒸気密度} = \text{蒸気比重} \times \text{空気密度} = \text{蒸気比重} \times 1.293\,g/\ell$$

となる。

ガソリンの蒸気比重は3～4
空気より重いので、低い場所に滞留し、ライター等の火や静電気によって引火する危険がある

●ふつう密度という場合には、3次元世界での体積密度を指す。ちなみに、1次元では線密度、2次元では面密度と呼ぶ。

■比重と密度の関係

実用上、密度の単位を外した数値が比重とほぼ等しいとされるが、厳密には密度と比重の値はわずかに異なる。これは、4℃の水の密度が1㎤ではなく0.999973㎤であることによる。

◎第4類危険物の蒸気比重

第4類危険物の蒸気比重はすべて1より大きい（空気より重い）。これは頻出である。

気体の性質

1 臨界温度と臨界圧力

一般に、どのような気体もある温度以下でないと液体へと変化はしない。この液化が起こる限界の温度をその気体の**臨界温度**といい、そのときに必要な圧力を**臨界圧力**という。

この温度と圧力の関係は、温度が低ければ液化に要する圧力は臨界圧力より小さくてすむが、臨界温度を超えているときにはいくら圧力を大きくしても液化は起こらないという関係にある。

◆ 主な物質の臨界温度と臨界圧力 ◆

物質	臨界温度（℃）	臨界圧力（気圧＝atm）
アンモニア	132.4	112
空　　気	－140.7	37.2
二酸化炭素	31.1	73.0
水	374.1	218.5
メ　タ　ン	－82.5	45.8

例えば、表中の二酸化炭素の臨界温度は31.1℃だが、その気体の温度が31.1℃を超えていると、いくら圧力を大きくしても液体にはならないということ

2 ボイルの法則

温度を一定に保った状態では、一定質量の気体の圧力は体積に反比例する。これを**ボイルの法則**という。

気体の体積をV、圧力をPとすると、

$$PV = 一定$$

という式で表すことができる。したがって、圧力P_1、体積V_1の気体の温度を変化させずに、圧力をP_2にしたときの体積V_2は、

$P_1V_1 = P_2V_2$　という関係式で表すことができる。

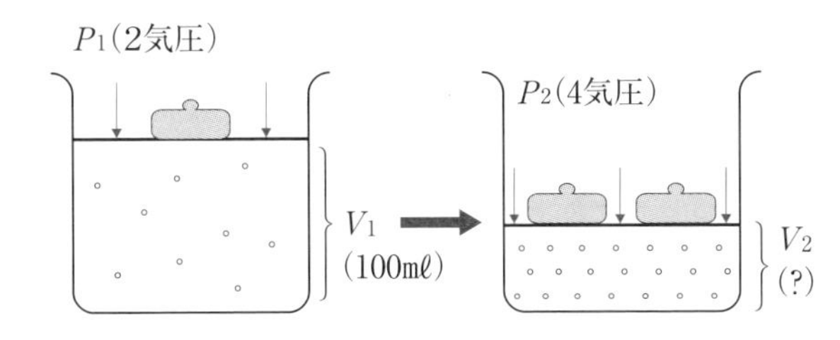

$P_1V_1 = P_2V_2$なのだから、$2 \times 100 = 4 \times V_2$

$4V_2 = 200 \quad V_2 = 50$（mℓ）

となる。

3 シャルルの法則

圧力を一定に保った状態では、一定質量の気体の体積は、温度１℃上昇または下降するごとに、０℃における気体の体積の1/273ずつ膨張または収縮する。これをシャルルの法則という。

別の言い方をすると、「圧力一定ならば、気体の体積は絶対温度に比例する」となる。

気体の体積をV、温度をTとすると、

$$\frac{V}{T} = 一定$$

という式で表すことができる。セ氏（０℃）をtとすると、$T = t + 273$なので、

$$\frac{V}{t + 273} = 一定$$

と表すことができる。これらのことから、t_1℃で体積がV_1の気体をt_2℃にしたときの体積V_2は、以下の式で表すことができる。

$$V_2 = V_1\left(\frac{t_2 + 273}{t_1 + 273}\right) または \frac{V_2}{V_1} = \frac{t_2 + 273}{t_1 + 273}$$

補足

■反比例の関係

一方が増えれば比例して多方が減り、一方が減れば多方が増えるという関係をいう。

圧力×体積＝一定

ならば、

10×１＝10

５×２＝10

１×10＝10

また、

１×10＝10

２×５＝10

４×2.5＝10

などの関係をいう。

●絶対温度

シャルルの法則から計算すると、−273℃ではすべての気体の体積が０となる。体積は０より小さくできないため、これより低い温度は存在しないことになる。この温度を絶対零度といい、これを基準にした温度階を絶対温度という。単位はＫ（ケルビン）。

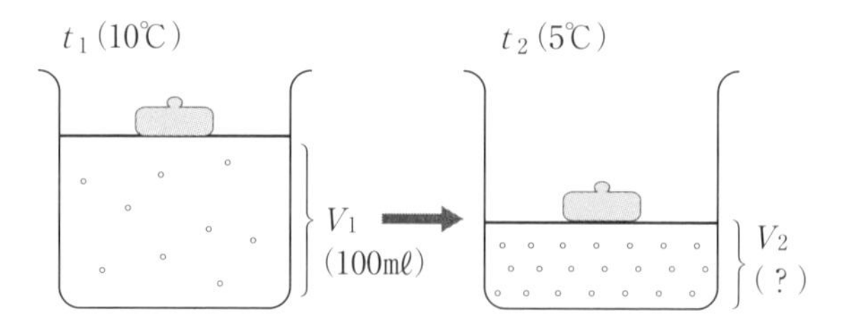

$V_2 = V_1 \cdot \frac{t_2 + 273}{t_1 + 273}$なのだから、$V_2 = 100 \times \frac{5 + 273}{10 + 273}$

$V_2 = 100 \times \frac{278}{283}$　　$V_2 \fallingdotseq 98.2$（mℓ）

となる。

4 ボイル・シャルルの法則

一定質量の気体の体積は、圧力に反比例し、絶対温度に比例する。これをボイル・シャルルの法則という。

温度をT、圧力をP、体積をVとすると、

$$\frac{PV}{T} = \text{一定}$$

という式で表すことができる。このことから、温度T_1、圧力P_1、体積V_1の気体を温度T_2、圧力P_2にしたとき、体積がV_2になったとすると、以下の関係式が成り立つ。

$$\frac{P_1 V_1}{T_1} = \frac{P_2 V_2}{T_2}$$

ボイルの法則は、温度が一定
シャルルの法則は、圧力が一定
ボイル・シャルルの法則は、気体の質量が一定と覚えておこう

5 アボガドロの法則

すべての気体は同温同圧のもとでは、同じ体積内に同じ数の分子をふくむ。これをアボガドロの法則という。

また、別の表現では、「すべての気体の1 mol（モル）は0℃、1気圧で約22.4 ℓの体積を占め、その中には6.02×10^{23}個（アボガドロ数）の気体分子をふくむ」となる。

気体1 molは約22.4 ℓでその中には6.02×10^{23}個の気体分子がある
と覚えておけばよい

◆ アボガドロの法則 ◆

気体	水素（H_2）	酸素（O_2）
原子量	1	16
質量	(1×2)2.0g	(16×2)32.0g
	質量2 g　分子数 6.02×10^{23}個　体積 22.4 ℓ　28.2cm　28.2cm　28.2cm	質量32 g　分子数 6.02×10^{23}個　体積 22.4 ℓ
物質量	1mol	1mol

［分子量の求め方］

分子量＝各原子の原子量の和

例）水素H_2の分子量は、Hの原子量が1なので、

1 × 2 = 2

となる。

補足

■mol（モル）
物質の質量を測る単位の一つで、物質の分子量に等しい物質の量を1 molという。

●質量・分子量の単位
質量は分子量にgを付けて表す。しかし、分子量として表すときは単に数字のみを用いる。

酸素O_2の分子量は
16× 2 ＝32
二酸化炭素CO_2の
分子量は
12＋16× 2 ＝44

1 基礎物理学

熱とその移動

1 温度

物質の温冷の度合いを表す物理的な尺度を温度という。その温度を測定する計器が温度計である。一般には、水銀やアルコールを用いた液体温度計が用いられている。

また、温度表示の種類としては、セルシウス温度（セ氏）と絶対温度などがある。

① **セルシウス温度**……１気圧のもとで氷の融点を０℃、水の沸点を100℃として、その間を100等分した表し方。単位は℃。

② **絶対温度**……セルシウス温度（℃）＋273。単位はK（ケルビン）。

絶対零度が－273℃だということは先に学んだとおりだ
この－273℃を0Kとするのが絶対温度ということになる

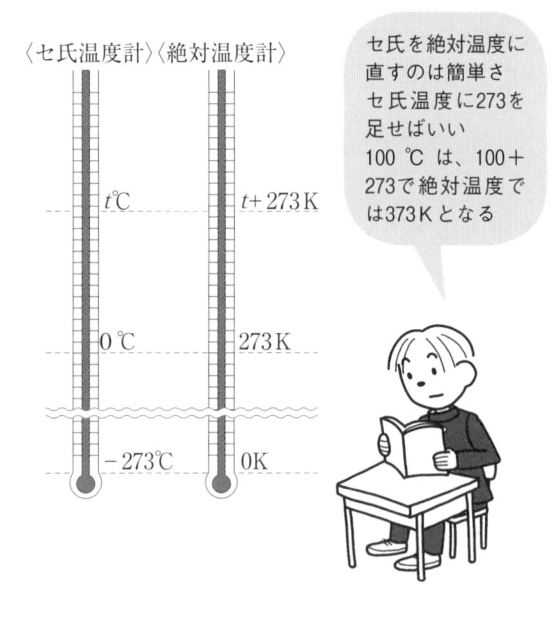

〈セ氏温度計〉〈絶対温度計〉
t℃
t＋273K
0℃
273K
－273℃
0K
セ氏を絶対温度に直すのは簡単さ
セ氏温度に273を足せばいい
100℃は、100＋273で絶対温度では373Kとなる

2 熱量

周囲を完全に断熱した容器に冷たい水を入れて、適度に温めた石を浸すと、石の温度は下がり、水の温度は上がる。

このときの高温の物体から低温の物体へと移動する熱エネルギーの量を熱量という。

◆ 熱の移動 ◆

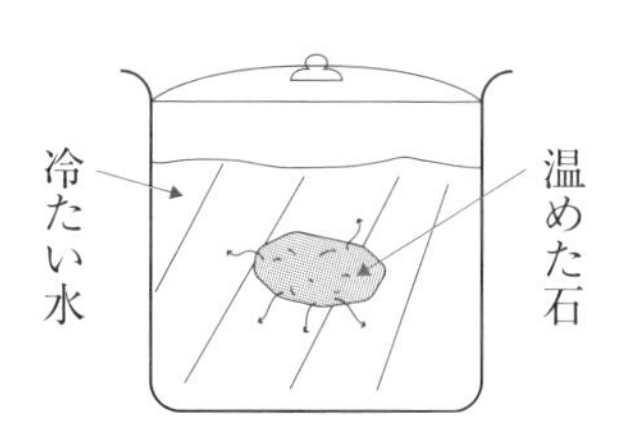

石から水へと熱エネルギーが移動する

やがて熱の移動が見かけ上起こらなくなるのは、経験上わかるよね この状態を熱の平衡というのさ

熱量の単位にはＪ（ジュール）が用いられる。

3 比熱

ある物質１ｇを温度１Ｋ（１℃）上昇させるのに必要な熱量をその物質の比熱という。単位はＪ／ｇ・ＫまたはＪ／ｇ・℃。

物体の温度を１Ｋ（１℃）上昇させるのに必要な熱量をその物体の熱容量という。

◆ 主な物質の比熱 ◆

物質	比熱 (J/(g･℃))
アルミニウム(0℃)	0.877
鉄(０℃)	0.437
銅(20℃)	0.380
木材(20℃)	約1.25
氷(－160℃)	1.0
コンクリート(室温)	約0.84
水(15℃)	4.186
海水(17℃)	3.93

●カ氏温度
温度にはセ氏、絶対温度のほかに、カ氏温度（℉）がある。水の凝固点を32°F、沸点を212°Fとし、その間を180等分したものである。

補足

■Ｊとcal
１ｇの純水を１気圧のもとで14.5℃から15.5℃まで１Ｋ（１℃）だけ上昇させるのに必要な熱量を１calとし、これを熱量の単位として用いることもある。
１cal≒4.186Ｊ

補足

■比熱は、同一物質であっても温度によって異なるが、一般には定数と考えて計算している。

ある物体にQ（J）の熱を与えたときに、その物体の温度がt（℃）からT（℃）になったとすると、熱容量Cは、

$$C=\frac{Q}{(T-t)}\text{（J／℃）または（cal／℃）}$$

と表すことができる。また、質量m（g）の物体の比熱がc（J／g・℃）のとき、熱容量Cは以下のように表すことができる。

$$C=c\cdot m\text{（J／℃）または（cal／℃）}$$

比熱と熱容量を混同しないこと！
比熱は物質1gが対象
熱容量は物質のそのときの全体質量が対象
熱容量の大きい物体は、温まりにくく、冷めにくい
また、比熱が大きい物質は熱容量が大きいともいえるぞ

4 気体のモル比熱

比熱は気体についても考えることができる。ただし、気体の場合には体積によって比熱が大きく変化することから、1 molの体積を基準にして考える。1 molの気体の温度を1 K（℃）だけ上昇させるのに必要な熱量を**定積モル比熱**という。

これに対して、圧力を一定に保ちながら気体1 molの温度を1 K（℃）だけ上昇させるのに必要な熱量を**定圧モル比熱**という。

定積は体積が一定
定圧は圧力が一定
と覚えておこう

熱の移動の仕方

熱の移動の仕方には、伝導・対流・放射（ふく射）の3つがある。

1 伝導

熱が物質中を伝わって移動する現象を伝導という。熱が伝導しやすいか否かは各物質によって異なり、この伝導の度合いを表す数値を熱伝導率という。

また、熱伝導率は温度によって差異がある。伝導率を比べると、以下のような傾向が見られる。

固体＞液体＞気体

金属＞非金属

つまり、熱伝導率は固体でかつ金属が最も高い。したがって、金属は熱の良導体であり、液体や気体は熱の不良導体ということになる。

補足

■熱伝導率が高いということは、熱がよく伝わるということである。

Zoom In（ズームイン）

●熱伝導率が小さいものほど燃えやすい。熱が伝わりにくいと、熱が蓄積されて高温になりやすいからだ。これは頻出である。

注意

◎非金属……定義は難しいが、ここでは一般に金属でない物質と考えておけばよい。

◆ 主な物質の熱伝導率 ◆

	物質	温度(℃)	熱伝導率		物質	温度(℃)	熱伝導率
金属	銀	20	0.998	液体	水	20	0.00140
	銅	20	0.923		水	80	0.00164
	金	20	0.708		エチルアルコール	0	0.000435
	アルミニウム	20	0.487		ジエチルエーテル	0	0.000330
	鉄	20	0.116		灯油	0	0.000361
非金属	硫黄	0	0.00065	気体	空気	0	0.0000533
	木材（カシ）	15	0.0005		空気	20	0.0000565
	木材（マツ）	30	0.00033		水蒸気	0	0.0000404
	コンクリート	0	0.002		水蒸気	100	0.0000518
	土	20	0.00033		二酸化炭素(炭酸ガス)	20	0.000036

2 対流

液体や気体が周りとの温度差によって移動する現象を**対流**という。液体や気体は加熱されるとその部分が膨張して上昇し、そのあとに低温の重たい液体や気体が流れ込んでくることによって起こる。

3 放射（ふく射）

熱せられた物体、あるいは熱をもつ物体が熱を放射線の形で空間へ放出する現象を**放射**という。そのとき、放射された熱が他の物体に吸収されて温度が上がったりするエネルギーを**放射熱**という。

放射熱は、中間の介在物の有無に関係なく、空間を直進して移動する。したがって、真空中も移動するので太陽の熱が地球に届いている。

熱膨張

一般に、物体はその温度が高くなるにしたがって体積が増える。この現象を**熱膨張**という。

熱膨張は、固体・液体・気体のそれぞれに現れる現象である。

1 固体の膨張

固体の熱膨張には、長さの変化である**線膨張**と体積の変化である**体膨張**との2つの考え方がある。

膨張の度合いを**膨張率**といい、それは物質によって異なってくる。

[線膨張の計算式]　0℃のときの長さをℓ_0、線膨張率をβとし、t℃に温度が上昇したときの長さをℓとした場合、以下の式が成り立つ。

$$\ell = \ell_0(1 + \beta t)$$

[体膨張の計算式]　0℃のときの体積をV_0、体膨張率をαとし、t℃に温度が上昇したときの体積をVとした場合、以下の式が成り立つ。

$$V = V_0(1 + \alpha t)$$

線路が夏に伸びるのは線膨脹で……でも同時に体積も膨脹しているよな

●熱膨張と質量
一般には物質は、加熱されて体積が膨張しても質量が一定であるため、重量に変化は生じない。反対に、密度は小さくなる。

◎体膨張率は、一般に線膨張率の3倍と考えてよい。

線膨張は体膨張の一側面と考えておけばよいのさ

2 液体の膨張

液体の膨張は**体膨張**のみである。ただし、通常、液体は容器に入っていることから、現実的には容器自体の膨張も考慮しなければならない。液体の容器に対する相対的膨張を**見かけの膨張**といい、見かけの膨張に容器の膨張を加えたものを**真の膨張**という。

[液体の体膨張の計算式]　基本的には、固体の体膨張の計算式と同じである。

$$V = V_0 (1 + \alpha t)$$

液体の真の膨張は、見かけの膨張＋容器の膨張

3 気体の膨張

気体の膨張も体膨張のみである。ただし、気体の膨張は液体や固体に比べてはるかに大きい。

一般に、気体の体膨張率はほとんど同じで、約1／273（≒0.00366）の**平均体膨張率**で表される。

◆ 主な物質の体膨張率 ◆

物質	温度（℃）	体膨張率	物質	温度（℃）	体膨張率
銀	0～100	0.0000567	ガソリン	20	0.00135
銅	0～100	0.0000498	水銀	20	0.0001819
水	20～40	0.000302	空気	100	0.003665
ジエチルエーテル	20	0.00165	水素	100	0.0036626

断熱変化

気体と外部との間で熱の出入りが生じないようにした状態で、容器中の気体が外部に対して仕事をしたり、また反対に外部から仕事をされたりすると、気体の内部エネルギーが増加したり、減少したりする。そのとき、それが気体の温度変化となって現れる。この現象を**断熱変化**という。

① **断熱膨張**……気体が膨張する現象をいい、このとき気体の温度は下がる。

② **断熱圧縮**……気体が圧縮する現象をいい、このとき気体の温度は上がる。

補足

■気体の膨張とシャルルの法則
気体の膨張は、「一定質量の気体の体積は、圧力が一定の場合、温度1℃上昇または下降するごとに、0℃のときの体積の1／273ずつ膨張または収縮する」というシャルルの法則にしたがう。

電気と静電気

1 電流と電圧、抵抗

簡単にいえば、電流は導体中を移動する電子の流れであり、電圧は電流を流す圧力である。圧力とは、電気的高低つまり**電位差**のことをいう。

たとえば、電池の＋極は電位が高く、－極は電位が低くなっているために電流は＋から－へ向かって流れる。そのときの電位差の大小が、電圧の大小で表されている。

また抵抗とは、電流の流れにくさの大小を表す電気抵抗のことである。**抵抗は同じ材質の導線の場合、太さに反比例し、長さに比例する。**

●電流と電子の流れ
電子の流れが電流の正体であるが、電子は－から＋に向かって流れている。これは電流は＋から－に向かって流れるとする一般説と矛盾するが、実は電子がまだ発見される前にそのように定められて、そのまま現在に至っていることによる。

2 オームの法則

電圧・電流・抵抗の間において、「導体を流れる電流は、電圧に比例し、抵抗に反比例する」という関係が成り立つ。これをオームの法則という。式で表すと、以下のようになる。

$$\textbf{電流}\, I〔\mathrm{A}〕= \frac{\text{電圧}E〔\mathrm{V}〕}{\text{抵抗}R〔\Omega〕} \longrightarrow E = IR$$

$$\longrightarrow R = \frac{E}{I}$$

電圧３Ｖ、抵抗２Ωのときの電流は、上の式に代入すると
I＝3/2＝1.5〔A〕となる

１Ωとは、１Ｖの電圧を加えたときに１Ａの電流を流すような導線の抵抗をいうぞ

3 ジュールの法則

導体に電気が流れると、熱が発生する。この熱をジュール熱という。ジュール熱は、電流と電圧に比例する。これをジュールの法則という。式で表すと、以下のようになる。

$$\textbf{熱量}〔Q〕= \text{電圧}E〔\mathrm{V}〕\times \text{電流}\, I〔\mathrm{A}〕\times \text{電流を流す時間}\, t〔\mathrm{S}〕$$

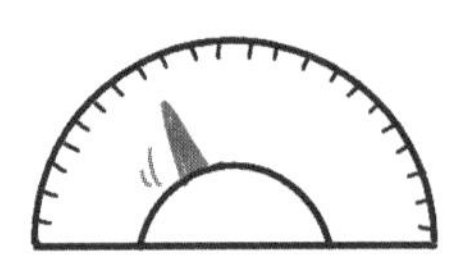

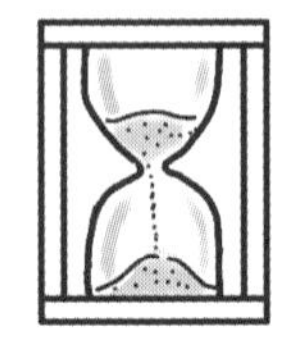

4 電気火花と電気設備

一般に、スパークやアークの状態を電気火花といっている。これらの放電エネルギーはごくごく小さいが、引火性液体の蒸気などはそのわずかな放電エネルギーによって引火する危険性がある。そのため、危険物施設の電気設備はすべて**防爆構造**にしなければならない。

スパークは、電気的接点の開閉によって生じる火花さ
アークは、ごく短時間の弧光でショートや漏電のときなどに発生するぞ

5 静電気

一般に電気という場合、導線を伝わって流れる電気つまり動電気のことを指すが、静電気は物体にたまったまま移動しない電気のことを指す。

静電気は**摩擦電気**ともいわれ、電気の不良導体を摩擦すると発生する。そのため、**第4類の引火性液体**は電気絶縁性のものが多く、帯電する性質をもっている。

そして蓄電すると、なんらかの原因で一度に放電した場合、付近に滞留(たいりゅう)している引火性液体の蒸気に引火し、火災発生の原因にもなる。

補足

■電気火花

電気火花を放電の仕方で分類すると、次の3つに大別される。

①スパーク
②アーク
③高電圧の火花放電など

補足

■静電気の特徴

①異なる物質をこすり合わせると発生する。
②電気には正+と負−がある。
③正と正の電気、負と負の電気は反発し合い、正と負の電気は互いに引き合う。

◆ 静電気発生のしくみ ◆

機　構	内　　容
①　接触帯電	２種類の物質を接触させた後に分離させるときに発生する
②　流動帯電	管内を液体が流動するときに発生する
③　沈降帯電	液体中を他の液体あるいは固体が沈むときに発生する
④　破砕帯電	固体を砕くときに発生する
⑤　噴出帯電	液体がノズルなどから噴出するときに発生する
⑥　誘導帯電	帯電した物体の近くに置かれた物体が、帯電物の影響で二次的に発生する

導電性が高い物質ほど静電気が発生しにくい
これは頻出だ

導電性が高い物質でも、絶縁して静電気の移動を妨げれば、帯電しやすくなるよ

6 静電気災害の防止

静電気による災害を防止するためには、静電気を発生させない。あるいは発生する速度を遅くすることで帯電量と蓄電量の増加率を下げることである。同時に、発生した静電気を意図的に漏（ろう）えいさせるか中和させることで、危険な領域まで**静電気を蓄電させない**ことなどが基本である。

そして万が一火災が発生した場合には、燃焼物に適応した消火方法をとる必要がある。以下に静電気発生を防ぐ方法をまとめたが、基本は**ていねいに扱う**ことである。

⑴　静電気の発生を少なくする方法

①　摩擦を少なくする（抑制効果）。

②　接触する２つの物質を選択する（抑制効果）。

③　導線を巻き込んだゴムホースの使用など導電性材料を使用する（漏えい効果）。

④　流速の制限（抑制効果）。

⑤　導電性塗料を塗ったり、添加剤を使用するなど除電剤を使用する（漏えい、中和効果）。

⑵　静電気の蓄積を少なくする方法

①　接地する……電気的に接続し、アースする（漏えい効果）。

②　湿度を約75％以上に保つ……湿度が高いと静電気は発生しにくくなり、発生しても物体表面の水分を伝わって漏えいする（抑制と漏えい効果）。

③　緩和時間をおく……静置することなどによって放出、中和する（放出、中和効果）。

④　除電服、除電剤を使用する（発生防止効果）。

⑤　その他……室内の空気をイオン化する（除去効果）。

●一般に静電気が蓄積するのは、静電気の発生速度がその漏えい速度よりも著しく大きいからである。

◎流速の制限
液体がホースやパイプなどの管内を流れるとき、静電気が発生しやすい。この静電気の発生量は流速に比例する。そのため、流速を遅くするなどの措置が必要になる。

■静電気の電圧
静電気の帯電量Qと電圧V、静電容量Cとの間には、

$Q=CV$

の関係がある。容易に1,000～10,000Ｖ程度の電圧が生まれる。

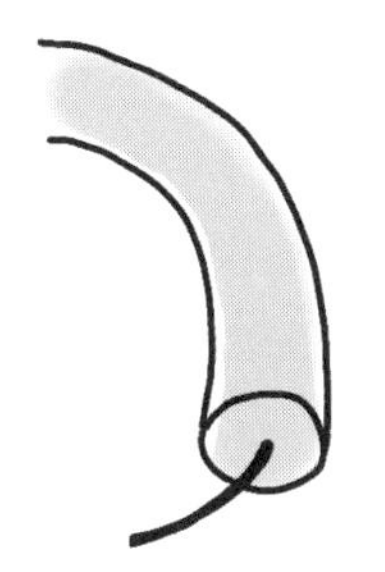

〈静電気を発生させない〉

〈発生を抑える〉

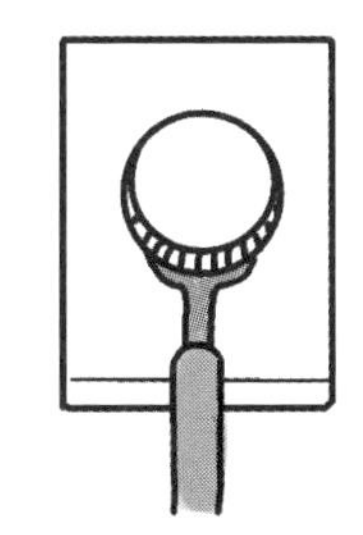

〈発生しても蓄積させない〉

湿度

空気中にふくまれる水蒸気の量による乾湿の度合いを湿度という。空気中にふくみ得る最大限の水蒸気の量は、温度によってその飽和量が異なり、温度が高くなるほど**飽和水蒸気量**は増大する。

◆ 気温ごとの飽和水蒸気量 ◆

気温（℃）	−10	0	5	10	15	20	25	30
1㎥中にふくみ得る飽和水蒸気量（g）	1.95	4.8	6.8	9.4	12.6	17.3	23.0	30.3

1 相対湿度

一般に用いられている湿度とは、この飽和水蒸気量を100とした場合の何パーセントに相当するのかを表している。この湿度を**相対湿度**という。

2 絶対湿度

空気中1㎥中にふくまれる水蒸気量をg単位で表したものをいう。降水量を予想したり、結露が発生する温度などを調べるときに用いられている。

3 実効湿度

相対湿度や絶対湿度が空気中にふくまれる水蒸気量を示すのに対して、板や障子・畳や衣類などの乾湿の度合いを**実効湿度**という。

これらは外界の湿度の変化によって乾湿の度合いも大きいが、過去の乾湿の影響が長時間残っていて、その物自体には乾湿の急激な変化は起こらない。たとえば、それまでの湿度が低ければ、そのときの湿度が高くなっても木材などの全体にふくまれる水分量は少なく、火災時の**延焼の危険性**は**大きい**と考えなければならない。

例題１

難　中　**易**

次の文のうち、誤っているものはどれか。１つ選びなさい。

(1)　物質には、気体・液体・固体の状態があり、これを物質の三態という。

(2)　物質は圧力や温度が変わると、気体から液体、液体から固体へ変化する。

(3)　気体・液体・固体の状態は、分子の集まり方によって起こる。

(4)　気体の温度が上がると分子の運動の速度が小さくなる。

(5)　気体の圧力は体積に反比例する。

解答１ ▶ (4)

解説　気体は固体や液体に比べて、分子同士の結合が開放された状態なので、温度が上昇するにつれて分子運動がさらに大きくなる。

例題２

難　中　**易**

物質の三態について誤っているものはどれか。１つ選びなさい。

(1)　固体と液体と気体の３つの状態を、物質の三態という。

(2)　液化とは固体が液体になることで、氷解ともいう。

(3)　固体が液体に変化することを融解という。

(4)　液体が気体に変化することを気化または蒸発という。

(5)　昇華とは、固体から気体または気体から固体に直接変化することをいう。

解答２ ▶ (2)

解説　固体から液体に状態変化する物理用語は、融解である。

例題３

難　中　**易**

水に関する記述のうち、誤っているものはどれか。１つ選びなさい。

(1)　水の三態とは、水蒸気・水・氷の状態をいう。

解答３ ▶ (4)

解説　これは経験的によく知られていることである。水が100℃で沸騰し、０℃で凍る

(2) 100℃の水が水蒸気になるとき、1gにつき2256.3Jの気化熱を奪う。

(3) 水が消火に使われる理由の一つには、気化熱の大きいことが挙げられる。

(4) 水はどんな場合でも100℃で沸騰し、0℃で凍る。

(5) 水1gの温度を14.5℃から15.5℃に高めるのに必要な熱量は、4.186Jである。

のは、1気圧のもとでである。気圧が下がれば沸点も下がり、気圧が上がれば沸点は上がる。

例題4　難 中 易

物質の状態変化と熱の出入について、正しいものを1つ選びなさい。

(1) 昇華とは液体が気体に変わることをいい、熱を吸収する。

(2) 融解とは固体が液体に変わることをいい、熱を放出する。

(3) 凝縮とは気体が液体に変わることをいい、熱を吸収する。

(4) 融解とは液体が固体に変わることをいい、熱を放出する。

(5) 状態が変化するとき、吸収または放出される熱は、その物質の温度変化となって現れない。

解答4 ▶ **(5)**

解説　(1)は昇華ではなく、気化。(2)は放出ではなく、吸収。(3)は吸収ではなく、放出。(4)は融解ではなく、凝固。

例題5

難 **中** 易

物質の状態変化を表す下図のうち、A～Eに該当することばの組み合わせで適当なものはどれか。正しいものを1つ選びなさい。

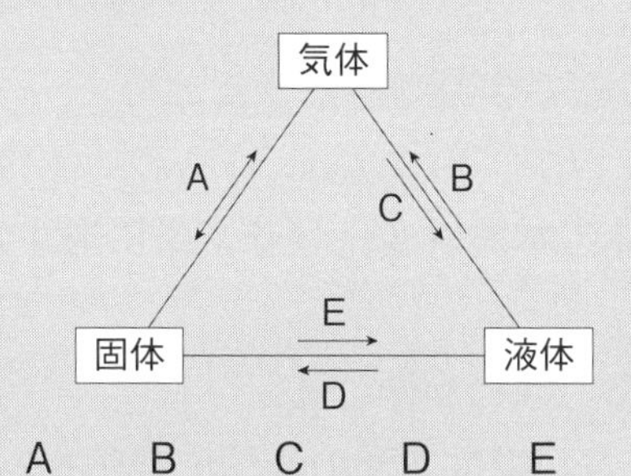

	A	B	C	D	E
(1)	気化	昇華	凝縮	融解	凝固
(2)	気化	昇華	凝固	融解	凝縮
(3)	昇華	気化	融解	凝縮	凝固
(4)	昇華	気化	融解	凝固	凝縮
(5)	昇華	気化	凝縮	凝固	融解

解答5 ▶ **(5)**

解説　気化と昇華を混同しないこと。昇華は固体から気体に状態変化する場合のみではなく、気体から固体に状態変化する場合もふくむ。

基礎化学

まとめ＆丸暗記 ■この節の学習内容と総まとめ

□　物理変化とは、物質自体の本質は変化せず、単に形や体積などの状態が変化する現象。

例）氷が溶けて水になる。ばねが伸びる。

□　化学変化とは、物質の性質が異なる別の物質に変化する現象。

例）鉄がさびる。木炭が燃えて二酸化炭素となる。

□　化学変化の形態

①　化合……A＋B⟶AB

②　分解……AB⟶A＋B

③　置換……AB＋C⟶AC＋B

④　複分解……AB＋CD⟶AD＋CB

⑤　付加と重合

□　物質の種類

①　純物質……O_2、N_2などのように単一の物質から成る物質。

②　混合物……空気や砂糖水などのように2種類以上の純物質が混じり合った物質。

③　単体……O_2やN_2のように1種類の元素から成る純物質。

④　化合物……H_2Oのように2種類以上の元素から成る物質。

⑤　同素体……O_2やO_3のように同じ原子から成る単体であっても、性質の異なる物質同士。

⑥　異性体……分子式で表すと同じであっても、性質が異なり、分子内の構造が異なる物質。

□　原子とは、分子を構成している最小の基本的粒子。

□　分子とは、物質の特性を形成している最小の物質。

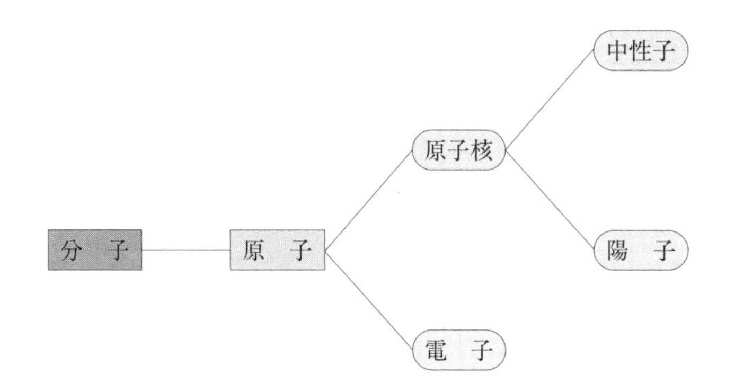

□　原子量とは、原子の質量の大小を表す数値。

□　分子量とは、分子の中にふくまれている元素の原子量の和。

□　化学の基本法則

①　質量保存の法則……ある物質と物質との間に化学変化が起こる場合、その化学変化の前後における物質の質量の総和は一定。

②　倍数比例の法則……同じ 2 つの元素が化合して 2 種類以上の化合物を生成するとき、一方の元素の一定量と化合する他の元素の質量の比は、一定。

③　定比例の法則……ある 1 つの化合物の中で化合している元素の質量の比は、一定。

④　アボガドロの法則……すべての気体は同温同圧のもとでは、同体積内に同じ数の分子をふくむ。

ⓐ　すべての気体 1 molは、1 気圧、0 ℃で約22.4 ℓ の体積

ⓑ　その中に、6.02×10^{23}個の気体分子をふくむ

□　化学式

①　分子式……分子を構成する原子の数で表した式。(C_2H_6O)

②　組成式……分子を構成する原子の数の割合を簡単な整数の

比で表した式。(C_2H_6O)

③　示性式……物質を構成する分子の中の特有の性質を示す原子団（基）を区別して表した式。(C_2H_5OH)

④　構造式……分子内での原子の結合状態を線を用いて表した式。

□　化学反応式とは、反応物質を左辺、生成物質を右辺に書き、矢印で結んだ式。

$$2H_2 + O_2 \longrightarrow 2H_2O$$

□　熱化学方程式とは、化学反応式に反応熱を記入して、両辺を等号で結んだ式。

$$H_2(気) + \frac{1}{2}O_2(気) = H_2O(液) + 286kJ$$

□　酸と塩基

①　酸……水溶液中で水素イオン(H^+)を放出する化合物。

②　塩基……水溶液中で水酸化物イオン(OH^-)を放出する化合物。

□　水素イオン指数とは、水溶液の酸性や塩基性の度合いを表すのに用いる。記号はpH

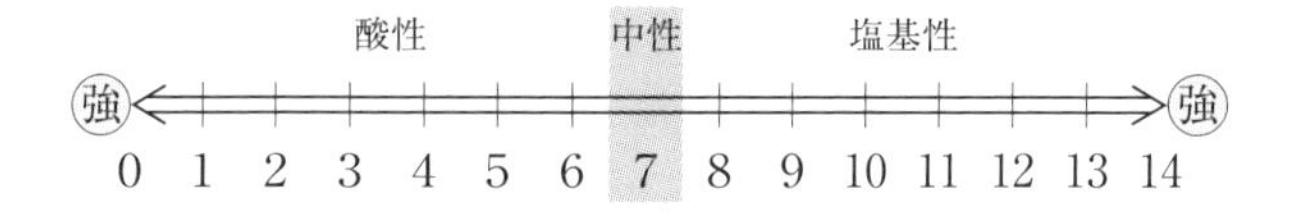

□　中和とは、一般に酸と塩基から塩と水が生成される反応。

□　酸化と還元

①　酸化……ⓐ物質が酸素と結合ⓑ水素化合物が水素を失う
ⓒ物質が電子を失う

②　還元……ⓐ物質が酸素を失うⓑ物質が水素と結合
ⓒ物質が電子を受け取る

物質の変化

物質は置かれた環境の条件によってさまざまに変化していく。その変化は多種多様であるが、大別すると**物理変化**と**化学変化**の２つに分けられる。

1 物理変化

物質そのものの本質は変化せず、単に形や体積などの状態が変化する現象を**物理変化**という。

たとえば、液体の水が氷という固体や水蒸気の気体になるように、置かれた環境としての温度や圧力などの条件が変わることによって**三態変化**することなどがそれに当たる。

2 化学変化

ある物質が性質の異なるまったく別の物質に変化する現象を**化学変化**という。

たとえば、水素が燃えて水になったり、水にナトリウムを加えると水素と水酸化ナトリウムが生成したりすることなどがそれに当たる。

物理変化は化学式が変わらない変化だぞ

化学変化は文字通り化学式が変わる変化なのさ

補足

■物理変化の例

①氷が溶けて水になる。
②ニクロム線に電気を通じると赤くなる。
③ばねが伸びる。
④砂糖を水に溶かすと砂糖水になる。

補足

■化学変化の例

①鉄がさびる。
②紙が濃硫酸にふれて黒くなる。
③水が電気分解によって水素と酸素になる。
④木炭が燃えて二酸化炭素になる。

化学変化の形態

物質が化学的に変化する仕方には、化合・分解・置換・複分解・付加・重合などの形態がある。

1 化合

２種類以上の物質が化学的に合体あるいは作用して、それらとは異なる物質を生じる化学変化を**化合**という。

$$A + B \longrightarrow AB$$

例）　水素と酸素が結合して水になる。

$$\underset{（水素）}{2H_2} + \underset{（酸素）}{O_2} \longrightarrow \underset{（水）}{2H_2O}$$

化合は化学的合体と覚えておこうぜ

2 分解

化合物が２つ以上の成分に分かれる化学変化を**分解**という。

$$AB \longrightarrow A + B$$

例）　水を分解すると水素と酸素になる。

$$\underset{（水）}{2H_2O} \longrightarrow \underset{（水素）}{2H_2} + \underset{（酸素）}{O_2}$$

分解には、電気分解と熱分解の２種あるのさ

例）　塩素酸カリウムを加熱すると塩化カリウムと酸素になる。

$$\underset{（塩素酸カリウム）}{2KC\ell O_3} \longrightarrow \underset{（塩化カリウム）}{2KC\ell} + \underset{（酸素）}{3O_2}$$

3 置換

化合物を構成している原子または原子団が、他の原子または原子団と置き換わる化学変化を**置換**という。

$$AB + C \longrightarrow AC + B$$

例）　亜鉛に希硫酸を加えると水素と硫酸亜鉛が生成する。

$$\underset{(亜鉛)}{Zn} + \underset{(希硫酸)}{H_2SO_4} \longrightarrow \underset{(硫酸亜鉛)}{ZnSO_4} + \underset{(水素)}{H_2} \uparrow$$

4 複分解

２種類以上の化合物が、その構成している原子または原子団を交換して、２種類の新しい化合物になる化学変化を**複分解**という。

$$AB + CD \longrightarrow AD + CB$$

例）　食塩に硫酸を加えると塩化水素と硫酸ナトリウムが生成する。

$$\underset{(食塩)}{2NaCl} + \underset{(硫酸)}{H_2SO_4} \longrightarrow \underset{(硫酸ナトリウム)}{Na_2SO_4} + \underset{(塩化水素)}{2HCl} \uparrow$$

5 付加と重合

二重結合、三重結合している有機物の原子または原子団が結合する反応を**付加**といい、小さい分子量の物質が結合して大きい分子量の物質をつくる反応を**重合**という。

ここで大切なのは、用語の意味を図式として覚えることなのさ、置換は
AB＋C→AC＋B
とかさ

補足

■付加と重合の例

①付加

エチレンに水素を付加させるとエタンが生成する。

$CH_2CH_2 + H_2 \longrightarrow CH_3CH_3$

②重合

エチレンが重合してポリエチレンが生成する。

$nCH_2{=}CH_2 \longrightarrow [-CH_2-CH_2-]_n$

物質の種類

1 純物質と混合物

酸素（O_2）・窒素（N_2）・水（H_2O）などのように、単一の物質から成るものを**純物質**という。それに対して、空気や食塩水などのように2種類以上の純物質が混じり合った物質を**混合物**という。

空気は、窒素・酸素・アルゴンなどが混合したもので、食塩水は、水と食塩が混合した混合物なのさ
水は水素と酸素からできた化合物ではあるが、これは化学的に結合して水という新物質になっているので、混合物とはいわないぞ

2 単体と化合物

純物質には、単体と化合物の2種がある。酸素（O_2）や水素（H_2）のように1種類の元素から成る純物質を**単体**といい、水（H_2O）のように2種類以上の元素から成る純物質を**化合物**という。

◆ 物質の化学的分類 ◆

- 物質
  - 純物質
    - 単体……1種類の元素
    - 化合物……2種類以上の元素
  - 混合物……2種類以上の純物質

3 同素体と異性体

同じ原子でできている単体であっても、性質の異なる物質が２種類以上存在する場合、これらは互いに同素体であるという。

◆ 主な同素体 ◆

元素	炭素C	酸素O	リンP	硫黄S
同素体	ダイヤモンド(C) 黒鉛(C)	酸素(O_2) オゾン(O_3)	黄リン(P_Y) 赤リン(P_γ)	単斜硫黄(S_γ) ゴム状硫黄(S_γ)

また、分子式で表すと同じであっても性質が異なり、分子内の構造が異なる物質を**異性体**という。異性体には、構造異性体と立体異性体などがある。

例）　構造異性体C_2H_6O

```
     H   H               H         H
     |   |               |         |
 H — C — C — OH      H — C — O — C — H
     |   |               |         |
     H   H               H         H
```

〈エチルアルコール〉　〈ジメチルエーテル〉

例）　立体異性体$CH_3CH=CHCH_3$

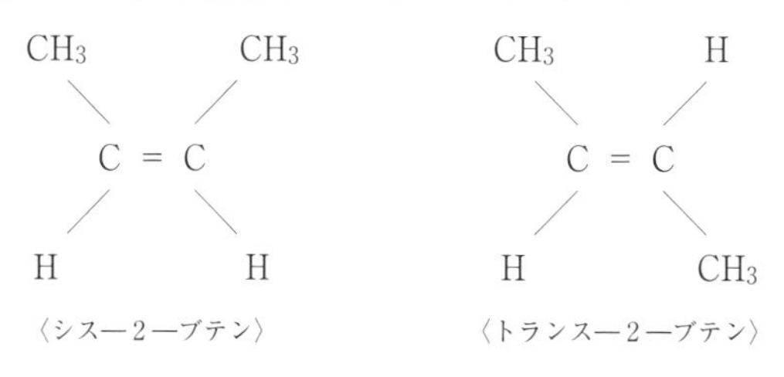

〈シス—２—ブテン〉　〈トランス—２—ブテン〉

●自然界の物質
自然界の物質のほとんどは混合物であり、92の元素から成っている。また、原子番号109までの人工的な元素もある。

補足

■**単体の例**
酸素、水素、窒素、亜鉛、リン、銅、鉄など。

■**化合物の例**
水、食塩、二酸化炭素、アセトン、ベンゼン、メチルアルコールなど。

■**混合物の例**
海水、空気、ガソリン、灯油、軽油、ガラス、セルロイドなど。

原子と分子

物質の特性を形成している最小の物質を分子といい、その分子を構成している最小の基本的粒子を原子という。

◆ 原子の構造 ◆

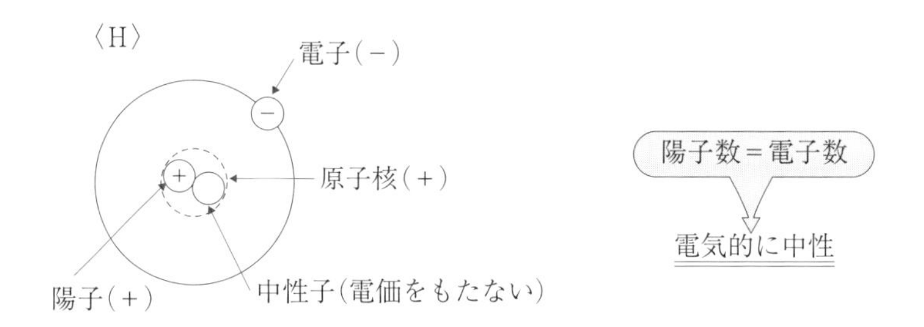

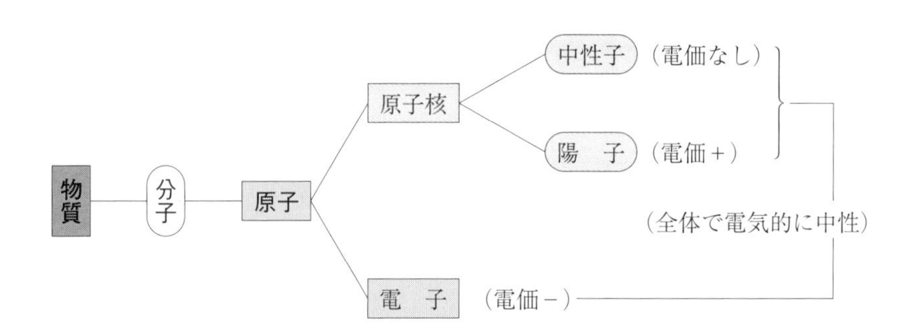

原子は**原子核**と**電子**から成っており、**原子核**は**陽子**と**中性子**から成っている。**陽子数**と**電子数**は等しいために、原子全体としては電気的には**中性**となっている。それぞれの元素は原子核中の陽子の数によって決定され、この数を**原子番号**という。同じ元素の原子は同数の陽子をふくみ、同じ原子番号をもつ（同位体)。

元素の**周期表**は、元素の原子番号の小さい順に配列したものである。

原子量と分子量

1 原子量

原子の質量の大小を表す数値が**原子量**である。原子量の基準は質量数12の**炭素原子**^{12}**C**の質量を12と定め、それを基準に他の原子の質量比をその原子量としている。

たとえば、水素の原子量は１とされているが、水素の質量が１ｇなのではなく、^{12}Cの質量を12としたときの割合が１という意味である。**単位はない**。

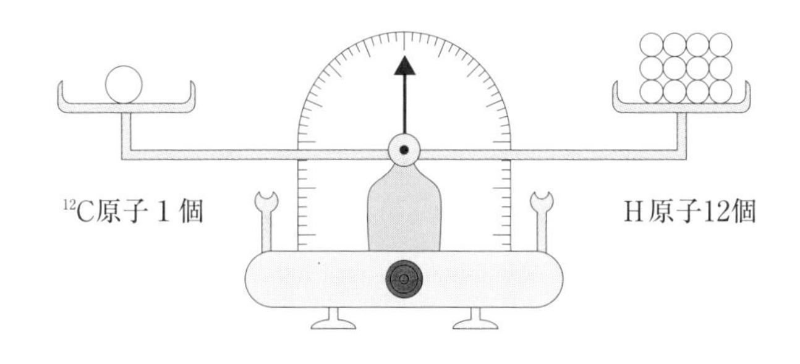

◆ 主な原子の質量と原子量 ◆

元素	原子の質量	原子量	元素	原子の質量	原子量	元素	原子の質量	原子量
H	1.0079	1.0	P	30.97376	31.0	Ca	40.08	40.0
C	12.011	12.0	Cl	35.453	35.5	Fe	55.847	56.0
N	14.0067	14.0	Na	22.98977	23.0	Cu	63.546	63.5
O	15.9994	16.0	Al	26.98154	27.0	Ag	107.868	108.0

●原子と元素

原子は物質を構成する究極の粒子と定義されている。元素は物質を構成している基本的成分と定義されるが、原子とどう異なっているのだろうか。

元素は原子の種類であり、原子番号の等しい原子（同位体）に与えた名称、呼び名である。

◎同位体

同じ元素の原子であって、中性子の数（質量数）が異なる原子のことをいう。

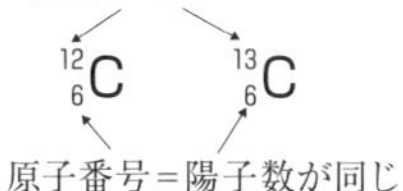

2 分子量

分子の中にふくまれている元素の原子量の和を**分子量**といい、分子式から求めることができる。

例）　二酸化炭素CO_2の分子量は、Cの原子量＝12、Oの原子量＝16なので、以下のようになる。

$$CO_2 = 12 + 16 \times 2 = 44$$

物質の分子量は、気体の比重や蒸気比重、熱量などの計算の際に重要になってくる。

化学の基本法則

1 質量保存の法則（質量不変の法則）

ある物質と物質との間に化学変化が起こる場合、その化学変化の前後における物質の質量の総和は一定である。これを**質量保存の法則**という。

つまり、物質は数種類の原子で構成されており、化学変化はその構成物質同士の組み合わせが変わるだけなので、変化しても物質の質量の総和に変化はないということになる。

例）　水素と酸素が反応して水が生成する場合

$$2H_2 + O_2 \longrightarrow 2H_2O$$

- 左辺の総質量＝2×(1×2)＋(16×2)＝36
- 右辺の総質量＝2×(1×2＋16)＝36

このように、反応物の水素と酸素の質量の和は生成物の水の質量と等しいことがわかる。

2 倍数比例の法則

同じ2つの元素、たとえば炭素Cと酸素が化合して2種類以上の化合物を生成するとき、一方の元素の一定量と化合する他の元素の質量の比は、**簡単な整数の比**となる。

例）　一酸化炭素と二酸化炭素の場合

$$CO\ \frac{16}{12} : CO_2\ \frac{32}{12} = 1 : 2$$

質量12gの炭素と化合している酸素の質量は、一酸化炭素では16g、二酸化炭素では32gである。その比は1：2となっている。

3 定比例の法則

ある1つの化合物の中で化合している元素の質量の比は、一定である。これが**定比例の法則**である。

例）　水（H_2O）の場合

$$H_2\text{（の質量）} : O\text{（の質量）} = 2 : 16 = 1 : 8$$

つまり、水はどのような方法でつくられた水であってもこの1：8の比は変わらない。

4 アボガドロの法則

すべての気体は同温同圧のもとでは、同体積内に同じ数の分子をふくむ。また、すべての気体1molは0℃、1気圧で約22.4ℓの体積を占め、その中に6.02×10^{23}個（アボガドロ数個）の気体分子をふくむ。

●質量保存の法則
フランスの化学者ラボアジェが、1789年『化学教科書』を刊行し、化学反応における質量保存の法則を樹立した。徴税請負人であったため、フランス革命で処刑された。

●倍数比例の法則
イギリスの科学者・物理学者ドルトンが、1803年倍数比例の法則を樹立した。近代化学の理論的基礎を築いた。

●定比例の法則
フランス人の化学者プルーストが1799年化合物の定比例の法則を樹立したが、クロード・ベルトレと8年間にわたって論争をくり広げた。この法則は、ドルトンの研究の土台として重要な役割を果たした。

化学式と化学反応式

1 化学式

元素記号を用いて物質の構造を示す式を**化学式**という。化学式には、以下のようなものがある。

① **分子式**……分子を構成する原子の数を表した式。

② **組成式**……分子を構成する原子の数の割合を簡単な整数の比で表した式。

③ **示性式**……物質を構成する分子の中の特有の性質を示す原子団（基）を区別して表した式。

④ **構造式**……分子内での原子の結合状態を線を利用して表した式。二重結合は2本、三重結合は3本の線で表す。

〈分子式〉 C_2H_6O　〈組成式〉 C_2H_6O　〈示性式〉 C_2H_5OH

エチルアルコールの例

〈構造式〉

```
     H   H
     |   |
 H — C — C — OH
     |   |
     H   H
```

2 化学反応式

反応物質を左辺、生成物質を右辺に書き、矢印で結んだ式を化学反応式という。

例）　メタンCH_4が空気中で燃焼してCO_2とH_2Oを生成する反応

$$CH_4 + 2O_2 \longrightarrow CO_2 + 2H_2O$$

CH_4	$2O_2$	CO_2	$2H_2O$
（1分子）	（2分子）	（1分子）	（2分子）
（1 mol）	（2 mol）	（1 mol）	（2 mol）

熱化学

1 反応熱

一般に、化学変化には熱の発生または吸収を伴うが、化学反応の際に１molの反応物質が発生または吸収する熱量を**反応熱**という。そのときに熱の発生を伴う反応を**発熱反応**といい、熱の吸収を伴う反応を**吸熱反応**という。

2 熱化学方程式

化学反応式に反応熱を記入して、両辺を等号で結んだ式を**熱化学方程式**という。このとき、発熱反応は⊕の符合で表し、吸熱反応は⊖の符合で表す。

◆ 化学反応式と熱方程式の比較 ◆

化学反応式　$2H_2 + 1O_2 \longrightarrow 2H_2O$

- 矢印で化学変化の方向を示す
- 係数は反応物質間の物質量の比

熱化学方程式　$H_2(気) + \frac{1}{2}O_2(気) = H_2O(液) + 286kJ$

- 物質の状態を表す
- 左辺と右辺のエネルギー量が等しいことを表す
- 反応熱量
- 水素１molを表す
- 係数は反応した物質量を表す
- 発熱反応を表す　吸熱反応は(－)

熱化学方程式では、
発熱反応は⊕
吸熱反応は⊖
だということを覚えておこう

熱化学方程式は、主体となる物質の係数が１（mol）になるようにするんだな

(気)は気体、(固)は固体、(液)は液体を表すぞ
また大量の水に溶けているよう場合を(aq)の記号で表すぞ

2 基礎化学

3 反応熱の種類

化学反応の際に生じる反応熱には、以下のような種類がある。

① **燃焼熱**……物質1 molが完全に燃焼するときに発生する熱量。

② **生成熱**……化合物1 molが成分元素の単体から生じる反応熱で、発熱も吸熱もある。

③ **分解熱**……生成熱と反対に、分解するときに生じる熱量で、生成熱と分解熱はつねに等しい。

④ **中和熱**……酸と塩基の中和でH^+ 1 molとOH^- 1 molが反応したとき（または1 molの水が生じる際）に発生する熱量。

⑤ **溶解熱**……物質1 molを多量の溶媒中に溶かすときに発生または吸熱する熱量。

◆ 主な物質の燃焼熱 ◆

物質	化学式	燃焼熱（kJ）
水素	H_2	285.9
メタン	CH_4	890.8
一酸化炭素	CO	283.0
アセチレン	C_2H_2	1,307.7

燃焼反応は、つねに発熱反応なのだ

［反応熱の例］

$$C + O_2 = CO_2 + 394kJ$$ ……Cの燃焼熱

$$H_2 + \frac{1}{2}O_2 = H_2O + 242kJ$$ ……H_2Oの生成熱

$$H_2SO_4 + aq = H_2SO_4aq + 80kJ$$ ……H_2SO_4の水への溶解

※反応熱の単位は、熱量は25℃、1気圧での値とし、単位はkJを用いる。

無機化学

1 酸と塩基

一般に、酸とは水に溶けると電離して**水素イオンH^+**を生じる物質、または他の物質に水素イオンH^+を与えることができる物質をいう。

例）　塩化水素（塩酸）

$$HCl \rightleftarrows H^+ + Cl^-$$

塩基とは水に溶けると電離して**水酸化イオンOH^-**を生じる物質、または他の物質から水素イオンH^+を受け取ることのできる物質をいう。

例）　水酸化ナトリウム

$$NaOH \rightleftarrows Na^+ + OH^-$$

なお、**酸と塩基の強弱**は、水溶液中に電離するH^+とOH^-の多少によって決まる。また塩基のうち、とくに水に溶けるものをアルカリという。

酸性とか塩基性というのは、どれも水溶液中での性質であることを忘れないことだ

試験対策としては、表にまとめたそれぞれの特徴をしっかりと覚えることが大事なのさ

◆ 酸性と塩基性（アルカリ性）の主な特徴 ◆

酸　性	塩基性
①　青色リトマス紙を赤変させる	①　赤色リトマス紙を青変させる
②　酸味がある	②　ぬるぬるする、苦味がある
③　亜鉛・鉄などの金属を溶かす	③　フェノールフタレイン溶液を加えると赤色を呈する
④　水溶液中でH^+を出す	④　水溶液中でOH^-を出す
⑤　塩基と中和して塩をつくる	⑤　酸と中和して塩をつくる

2 水素イオン指数（pH）

水溶液の酸性や塩基性の度合いを表すのに、水素イオン指数を用いることがある。これをpH（ピー・エイチまたはペー・ハー）という記号で表す。

水溶液中には、必ずH^+とOH^-が存在することから、水溶液の酸性・塩基性の強弱を水素イオンH^+の濃度だけで表すことができる。それは、H^+とOH^-の積が一定なことから、H^+が大きいときにはOH^-が小さく、OH^-が大きいときにはH^+が小さくなる。したがって、H^+の大小は、同時にOH^-の大小を示していることになる。

◆ pH値と酸性・中性・塩基性の関係 ◆

強 ← 酸性 ｜ 中性 ｜ 塩基性 → 強

pH	0	1	2	3	4	5	6	7	8	9	10	11	12	13	14
$[H^+]$	1	10^{-1}	10^{-2}	10^{-3}	10^{-4}	10^{-5}	10^{-6}	10^{-7}	10^{-8}	10^{-9}	10^{-10}	10^{-11}	10^{-12}	10^{-13}	10^{-14}
$[OH^-]$	10^{-14}	10^{-13}	10^{-12}	10^{-11}	10^{-10}	10^{-9}	10^{-8}	10^{-7}	10^{-6}	10^{-5}	10^{-4}	10^{-3}	10^{-2}	10^{-1}	1

ここでは、次のことだけは覚えておこう
pH＝7が中性
pH＞7が塩基性
pH＜7が酸性

3 中和と塩

一般に、酸と塩基から塩と水が生成される反応を**中和反応**または**中和**という。

例）　酸＋塩基 ⟶ 塩＋水

$$HC\ell + NaOH \longrightarrow NaC\ell + H_2O$$

4 酸化と還元

一般に、物質が酸素と結合することを酸化といい、反対に酸化物が酸素を失うことを還元という。しかし、もっと広い意味でいえば、水素化合物が水素を失うこと、または物質が電子を失うことも酸化である。同時に、物質が水素と結合すること、または物質が電子を受け取ることも還元という。

例）　炭が燃えて二酸化炭素になる。

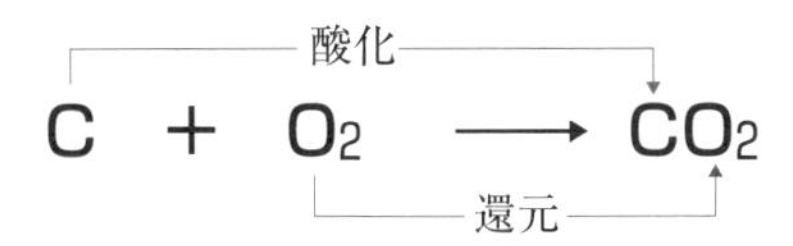

例）　硫化水素が塩素で酸化される。

酸化（$H_2S \rightarrow S$）

$$H_2S + C\ell_2 \longrightarrow 2HC\ell + S$$

還元（$C\ell_2 \rightarrow 2HC\ell$）

5 酸化剤と還元剤

化学的に反応する相手の物質を酸化するものを酸化剤といい、反対に、反応相手の物質を還元するものを還元剤という。

6 金属と非金属

元素は、金属元素と非金属元素に大別できる。金属元素の原子は、一般に**陽イオン**になりやすい。反対に非金属元素の原子には、**陰イオン**になりやすいものが多くある。

■酸化と還元の同時性

酸化と還元は同時に起こる。

これは頻出である。

「酸化と還元は同時には起こらない」という選択肢は×である。

■主な酸化剤

塩素・オゾン・過酸化水素・過マンガン酸カリウム

■主な還元剤

水素・一酸化炭素・硫化水素・ナトリウム

◎迷走電流

電気設備から漏出して地中を流れる電流のこと。直流電気鉄道の近くの地中では、この迷走電流が生じるため、金属配管が腐食しやすくなる。

◆金属と非金属の特性◆

金　属	非金属
①　塩基性酸化物をつくる。 ②　一般に無機酸に溶ける。 ③　常温で固体である。（水銀は例外） ④　一般に融点が高い。 ⑤　金属光沢がある。 ⑥　比重が大きい。（ナトリウムなどは例外） ⑦　熱や電気の良導体である。 ⑧　展性、延性がある。	①　酸性酸化物をつくる。 ②　一般に無機酸には溶けない。 ③　常温では固体、液体、気体である。 ④　低温度で気体のものが多い。 ⑤　光を反射しない。 ⑥　比重が小さい。 ⑦　熱や電気の不導体である。（炭素は例外） ⑧　固体のものはもろい。

◉金属のイオン化傾向

金属原子が陽イオンになろうとする性質を金属の**イオン化傾向**といい、その傾向の度合いに応じて順に示したのがイオン化列である。イオン化傾向の大きい金属ほど化学的な性質が強く、他の物質と反応を起こしやすい。したがってさびやすいともいえる。

大 ← イオン化傾向 → 小

K Ca Na Mg Al Zn Fe Ni Sn Pb (H_2) Cu Hg Ag Pt Au

7 金属の腐食

金属は周囲の物質と化学的・電気的に反応することで表面から消耗が進む。これを**腐食**という。地中に埋設した鋼製の配管は、鉄が**陽イオン化**して溶け出すことで腐食が進む。エポキシ樹脂等の**合成樹脂**で配管を完全に**被覆**することで、腐食を防止する。

◆配管が腐食しやすい環境◆

酸性が高い土壌・塩分濃度の高い土壌に埋設した場合 土質の異なる場所にまたがって埋設した場合 直流電気鉄道の軌道に近い土壌に埋設した場合 配管が鉄製（鋼製）で、鉄よりイオン化傾向の小さい金属と接している場合

有機化学

1 有機化合物

一般に、一酸化炭素や二酸化炭素、炭酸塩などを除いた炭素の化合物を**有機化合物**と呼んでいる。有機化合物は、その骨格となる炭素原子の結合の仕方によって、以下のように分類される。

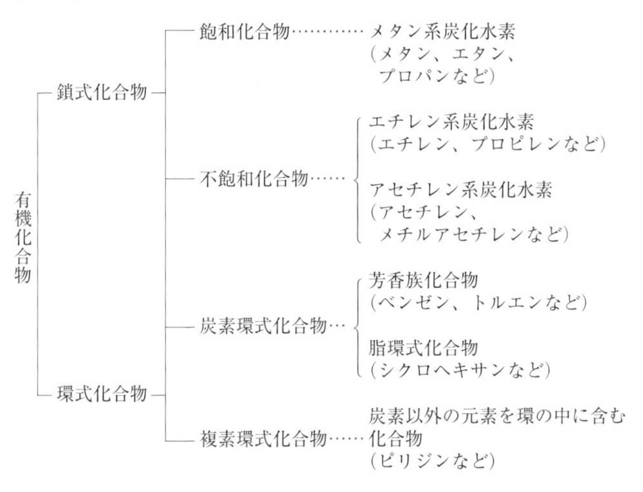

◆ 有機化合物と無機化合物の特性比較 ◆

項目	有機化合物	無機化合物
成分元素	少ない（主として、炭素（C）を主体に水素（H）、酸素（O）、窒素（N））	多い（天然の全元素）
融点・沸点	比較的低いものが多い	多様である
溶解性	水に溶けにくい（アルコール、アセトン、エーテルなどの有機溶媒にはよく溶ける）	水に溶けるものが多い（有機溶媒には溶けない）
可燃性	空気中で燃えやすく分解しやすい（燃えるとH_2O、CO_2を生成する）	燃えないものが多い
通電性	多くは非電解質で、電気を通さない（静電気は発生しやすい）	電解質が多く、電気を通す
反応速度	一般に、反応は遅い	一般に、反応は速い

注意

◎異種金属との接続
鋼製配管の腐食を防止するため、鉄よりイオン化傾向の大きなアルミニウム・マグネシウム・亜鉛等の金属と接続することがある。
これは頻出である。

補足

■鎖式化合物の構造

H–C–C–C–H（各Cに上下H）

〈プロパン〉

■環式化合物の構造

〈シクロヘキサン〉

無機化合物の種類は５～６万
有機化合物の種類は100万以上
身近にあるものはほとんど有機化合物なのさ

2 基礎化学

2 官能基

有機化合物の性質を特徴づけている原子団を官能基という。有機化合物は、この官能基によって分類することもできる。

◆ 官能基による有機化合物の分類 ◆

官能基	式	構造	性質
①メチル基	$-CH_3$	H −C−H H	疎水性
②エチル基	$-C_2H_5$	H H −C−C−H H H	疎水性
③ヒドロキシル基 アルコール フェノール類	$-OH$ $-OH$	−O−H −O−H	中性、親水性、 酸性、親水性
④アルデヒド基	$-CHO$	−C(=O)−H	還元性
⑤カルボキシル基	$-COOH$	−C(=O)−O−H	酸性、親水性
⑥アセチル基	$-COCH_3$	O H ‖ | −C−C−H H	
⑦カルボニル基 （ケトン基）	$>CO$	$>C=O$	
⑧ニトロ基	$-NO_2$	−N(=O)−O	中性、疎水性
⑨アミノ基	$-NH_2$	−N(−H)−H	塩基性
⑩スルホ基	$-SO_3H$	O ‖ −S−O−H ‖ O	酸性
⑪フェニル基	$-C_6H_5$	−(ベンゼン環)	疎水性

例題１ 難 中 **易**

物理変化であるものはどれか。正しいものを１つ選びなさい。

(1) アルコールを燃やすと二酸化炭素と水が発生する。
(2) 亜鉛版を希硫酸に浸すと水素が発生する。
(3) ガソリンをタンクに流動させると静電気が発生する。
(4) 過酸化水素水を放置すると酸素が発生する。
(5) 希硫酸に炭酸水素ナトリウムを加えると二酸化炭素が発生する。

解答１ ▶ (3)

解説　静電気が発生してもガソリンはガソリンのままである。物理変化は、物質そのものの化学的成分は変化せず状態のみ変化すること。化学変化は、まったく性質の異なる物質に変化すること。

例題２ 難 中 **易**

化学変化に該当するものはいくつあるか。正しいものを１つ選びなさい。

A　氷が溶けて水になる。
B　鉄がさびる。
C　水を電気分解したら、水素と水になった。
D　ガソリンが燃えて二酸化炭素と水蒸気が発生する。
E　塩酸に亜鉛を加えて水素を発生させる。

(1) １つ　(2) ２つ　(3) ３つ
(4) ４つ　(5) ５つ

解答２ ▶ (4)

解説　氷が溶けて水になるのは状態変化である。

例題３ 難 **中** 易

語の説明について、誤っているものはどれか。１つ選びなさい。

(1) 単　体……１種類の元素からできている物質をいう。

解答３ ▶ (5)

解説　異性体とは、分子式が同じでも、分子内の構造が異なるために性質が異なる物質をいう。また、異性体には構造異性体と立体異性体とがある。

(2) 化合物……化学的方法によって２種類以上の物質に分解でき、また、化合によって生成されるものをいう。

(3) 混合物……複数の物質が互いに化学結合せずに混ざりあったものをいう。

(4) 同素体……同じ元素からできていて、性質が異なる２種類以上の単体をいう。

(5) 異性体……分子式と分子内の構造が同じで、性質が異なる物質をいう。

例題４ 難 **中** 易

元素、化合物、混合物の組み合わせのうち混合物のみのものはどれか。正しいものを１つ選びなさい。

(1) 硫黄、空気、トルエン
(2) アルコール、ガソリン、ベンゼン
(3) アルコール、水、アセトン
(4) ガソリン、空気、灯油
(5) ガラス、灯油、水素

解答４ ▶ (4)

解説　ここでの混合物は、ガソリン・空気・灯油・ガラスである。

例題５ 難 **中** 易

「すべての気体は、同温・同圧において同体積内に同数の分子を含む」。この法則は次のうちどれか。正しいものを１つ選びなさい。

(1) ボイルの法則　(2) アボガドロの法則
(3) シャルルの法則　(4) 倍数比例の法則
(5) 気体反応の法則

解答５ ▶ (2)

解説　気体は同温・同圧のもとで同体積内にふくむ分子数は、6.02×10の23乗個である。

例題6 難 **中** 易

有機物質の燃焼について、正しいものを1つ選びなさい。

(1) 燃焼中に発生する一酸化炭素に毒性はない。
(2) 不完全燃焼すると、二酸化炭素が発生する。
(3) 空気量が少ないほど、すすの発生が多い。
(4) ガスを燃焼させた場合は、すすの発生はない。
(5) 炭素の含有量が多いほど、すすの発生が多くなる。

解答6 ▶ **(3)**

解説 すすが発生するということは、不完全燃焼しているからである。つまり、いぶされている状態と考えればよい。

例題7 難 **中** 易

酸化と還元について、誤っているものはどれか。1つ選びなさい。

(1) 物質が酸素と化合することを酸化という。
(2) 化合物が水素を失うことを酸化という。
(3) 物質が水素と化合することを還元という。
(4) 酸化物が酸素を失うことを還元という。
(5) 還元と酸化は同時に起こらない。

解答7 ▶ **(5)**

解説 化学反応では、一方が酸化されれば必ず他方に還元が起こっている。酸化だけ、還元だけが起こっているということはありえない。

例題8 難 **中** 易

次の物質のうち、有機化合物はどれか。正しいものを1つ選びなさい。

(1) 硫黄　(2) 亜鉛　(3) 二硫化炭素
(4) マグネシウム　(5) 灯油

解答8 ▶ **(5)**

解説 二硫化炭素を除いて、第4類危険物は有機化合物である。

3 燃焼および消火の基礎理論

まとめ&丸暗記 この節の学習内容と総まとめ

- □ 燃焼とは、熱と光の発生を伴う酸化反応。
- □ 燃焼の3要素とは、①可燃物②酸素供給体③熱源。
- □ 燃焼の4要素とは、燃焼の3要素に④燃焼の継続が加わる。
- □ 燃焼の仕方は、固体・液体・気体の三態に大別できる。

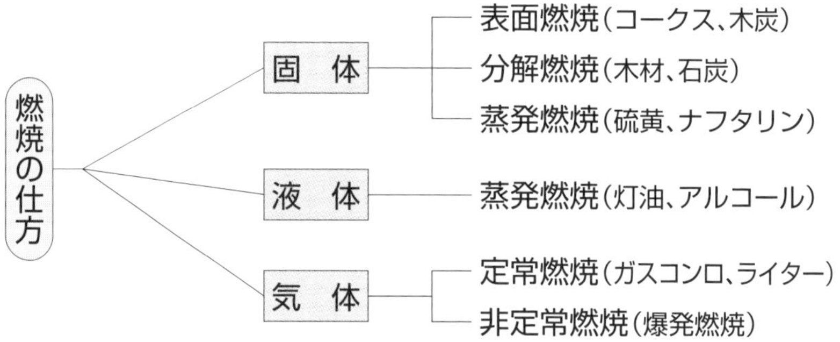

燃焼の仕方
- 固体
  - 表面燃焼（コークス、木炭）
  - 分解燃焼（木材、石炭）
  - 蒸発燃焼（硫黄、ナフタリン）
- 液体
  - 蒸発燃焼（灯油、アルコール）
- 気体
  - 定常燃焼（ガスコンロ、ライター）
  - 非定常燃焼（爆発燃焼）

- □ 引火点とは、可燃性液体が空気中で点火したときに、燃えだすのに十分の濃度の蒸気を液面上に発生する最低の液温。
- □ 発火点とは、空気中で可燃物を加熱したときに、火炎や火花がなくとも物質自体が発火し、燃焼を開始する最低の温度。
- □ 自然発火とは、物質が常温の空気中において自然に発熱し、その熱が長時間蓄積されて発火点に達し、ついには燃焼に至る。
- □ 混合危険とは、2種類以上の物質が混合したり接触したりして発火、または爆発するおそれのあること。
- □ 水分との接触による発火危険とは、空気中の湿気を吸収したり水分との接触でその吸着熱によって発火する危険。

燃焼の定義と原理

1 燃焼の定義

物質が酸素と化合することを酸化といい、その結果生成された化合物を**酸化物**ということはすでに述べたとおりである。物質によっては、この酸化反応が急激に進み、著しく発熱し、かつ発光を伴うものもある。

このように、**熱と光の発生を伴う酸化反応を燃焼という**。

2 燃焼の原理（燃焼の 3 要素・4 要素）

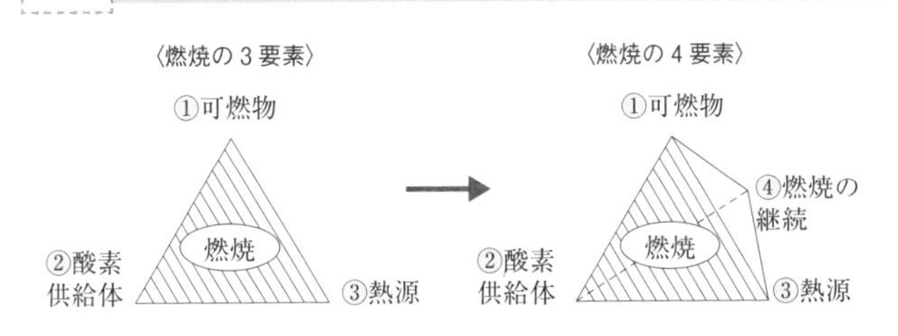

◎例外的燃焼

①塩素とリンの化合……酸素との化合ではないが、高温と発光を伴う酸化反応で、例外的に燃焼として扱われる。

②緩慢燃焼……多量の油かすを放置しておくと酸化が進み、自然発火することがある。発火するまでのくすぶり現象（炎は出ず煙だけが出る）を緩慢燃焼といい、例外として燃焼として扱われる。

酸化はすべてが燃焼ではないぞ
鉄などは酸化してさびるが、発光を伴わないので燃焼とはいわないのさ

(1) 可燃物（可燃性物質）

可燃物といった場合、酸化されやすい物質すべてがふくまれる。可燃物の数はきわめて多く、**有機化合物のほとんどが該当する**。それは、固体・液体・気体を問わない。

(2) 酸素供給体（支燃物）

可燃物の燃焼には、ある濃度以上の酸素が必要とされる。その濃度を限界酸素濃度というが、それは各物質によって異なってくる。その濃度は多くの場合**14〜15％**ぐらいになる。空気は**約21％**の酸素をふくんでいることから、酸素供給体としては一般的である。

◆ 酸素の性質 ◆

性質		特色
比重	1.105（空気＝1）	① 不燃性である。 ② 支燃性がある。 ③ 水にあまり溶けない。 ④ 酸化物をつくる。 ⑤ 実験的には、過酸化水素を分解して得られる。 ⑥ 白金、金、銀、不活性ガス、ハロゲン等とは直接化合しない。
融点	−218℃	
沸点	−183℃	
色	無色（液体酸素は淡青色）	
臭い	無臭	

このほかの酸素供給体としては、**第5類の危険物やセルロイド**のように可燃物自体が酸素を多くふくんでいて、他からの供給を必要としない物質もある。

◆ 主な物質の限界酸素濃度(%) ◆

可燃ガス	希釈ガス	
	二酸化炭素	窒素
水　　素	5.9	5.0
一酸化炭素	5.9	5.6
メ タ ン	14.6	12.1
エ タ ン	13.4	11.0
プロパン	14.3	11.4
エチレン	11.7	10.0
プロピレン	14.1	11.5
ベンゼン	13.9	11.2

一酸化炭素・硫化水素・硫黄・炭素・二硫化炭素は可燃物、窒素・二酸化炭素・ヘリウムは不燃物だ

(3) 熱源（点火源）

火気・摩擦・静電気・酸化熱・火花などが熱源になる。

(4) 燃焼の継続

上記燃焼の３要素に燃焼の継続を加えて、燃焼の４要素という。燃焼が継続するには、可燃性物質と酸素が連続的に供給され、酸化反応が続くことが必要である。

一方で、物質が燃焼すると発熱と同時に放熱も起こってくる。燃焼が継続するためには、放熱以上の発熱が起こらなくてはならず、当該物質の引火点または発火点以上の温度が必要となってくる。

燃焼は、
①可燃物
②酸素供給体
③熱源
が同時に存在することが絶対条件だぞ

燃焼の継続とは、
連鎖反応で酸化反応が
続くことなのさ

補足

■空気以外の主な酸素供給体

①第１類危険物……刺激により化学変化を起こし、酸素を発生する。
②第５類危険物……分子中に多くの酸素をふくんでおり、化学的刺激によって爆発的な自己燃焼を起こす。火薬など。
③高濃度酸素ガス……酸素そのもので、空気中なら消える火も、高濃度の酸素ガス中では激しく燃える。

●窒素・二酸化炭素＝不燃物は頻出。

注意

◎燃焼の要素と消火

燃焼と消火は相対的関係にあるので、燃焼の３要素のうち１つでも取り除けば鎮火する。つまり、燃焼の原理は消火の原理でもある。

燃焼の仕方

燃焼の仕方は可燃性物質の性質や状態によって異なるが、基本的には固体・液体・気体の三態に大別して考えることができる。

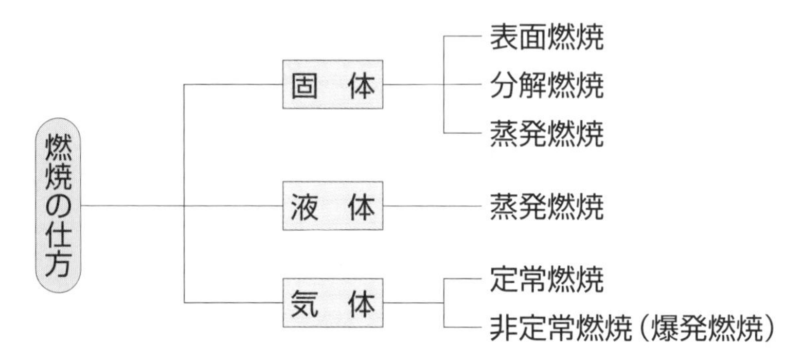

1 固体の燃焼

(1) 表面燃焼

固体の表面から中へと向かって燃えていく燃焼で、固体表面では熱分解や蒸発を起こすことなく静かに燃える。

固体と酸素が直接酸化反応する燃焼でもある。

例）コークス、木炭など

(2) 分解燃焼

可燃性固体が加熱による分解を起こし、その**可燃性ガスが燃える**こと。

例）木材、石炭など

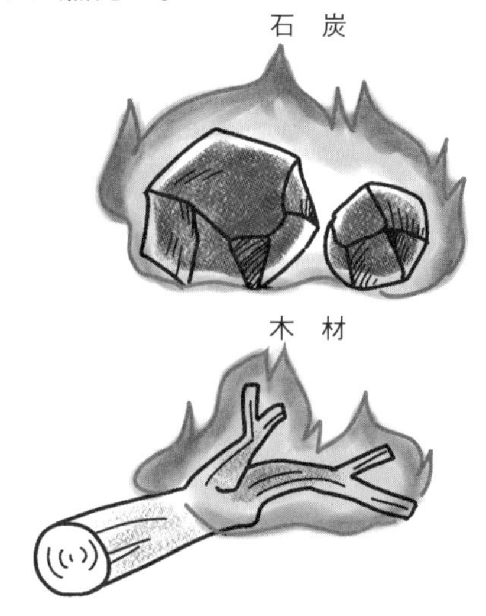

(3) 蒸発燃焼

固体を熱したときに、液体に状態変化することなしに、そのまま蒸発（昇華）してその蒸気が燃焼する場合がある。これを固体の蒸発燃焼という。

例）硫黄、ナフタリンなど

2 液体の燃焼

液体の燃焼は、すべて蒸発燃焼である。アルコールや灯油などの可燃性液体は、一見液体そのものが燃えているように見えるが、液面から蒸発した可燃性蒸気が空気と混合し、なんらかの火源によって燃焼しているのである。

3 気体の燃焼

(1) 定常燃焼（バーナー燃焼）

日常、われわれが経験しているガスコンロやライターのように、筆先のような形で燃える燃焼状態をいう。

(2) 非定常燃焼（爆発燃焼）

可燃性気体と空気の混合気体が、密閉容器中で点火されたときなどに起こる燃焼である。

定常燃焼

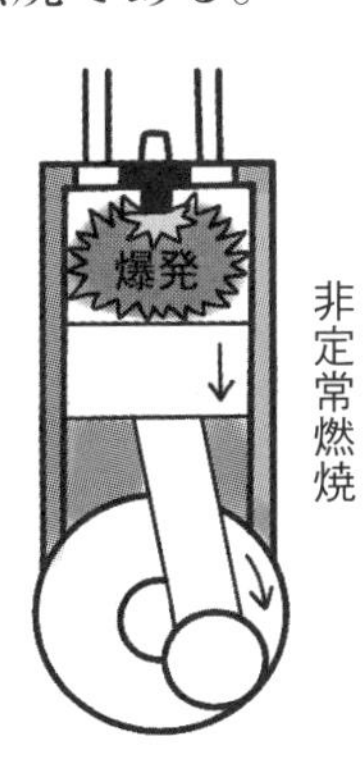

非定常燃焼

●完全燃焼と不完全燃焼

一般に、酸素の供給が十分であるときは完全燃焼し、不十分であるときには不完全燃焼となる。

●表面燃焼の例

木炭やコークスの燃焼時には、通常炎を上げることはないが、盛んに燃えているときに青白い炎を上げることがある。

これは燃焼によって生じたCO_2が、木炭やコークスの表面にふれてCOに変わり、そのCOが燃えることによって起こる。

◎気体の燃焼は、拡散燃焼と予混合燃焼に分類されることもある。

4 燃焼の難易

燃焼の難易は、①着火の難易②燃焼継続の難易とに分けて考える必要がある。しかし、実際はそれぞれの物質またはそのときの条件によって変わってくるものである。

そこで、ここではその区別をせずに、一般的な燃焼の難易を整理しておくことにする。

◆ 燃焼の難易の目安 ◆

	燃えやすい	燃えにくい
酸化	酸化されやすい	酸化されにくい
酸素との接触面積	大きい	小さい
発熱量（燃焼熱）	大きい	小さい
熱伝導	小さい	大きい
乾燥度（含有水分）	高い（少ない）	低い（多い）
可燃性蒸気	発生しやすい	発生しにくい
周囲の温度	高い	低い

危険物の物性

1 燃焼範囲（爆発範囲）

可燃性蒸気と空気との混合気に点火すると急激に燃焼が起こり、密閉容器内では爆発することもある。

爆発するにはその混合割合がある濃度範囲にあることが絶対条件となる。この範囲を**燃焼範囲（爆発範囲）**といい、空気との混合気体中に占める可燃性蒸気の容量(%)で表す。

◆ 主な可燃性液体の燃焼範囲(爆発範囲) ◆

気体（蒸気）	燃焼範囲（爆発範囲）（容量%）
灯油	1.1 ～ 6.0
ベンゼン	1.3 ～ 7.1
二硫化炭素	1.0 ～ 50
ガソリン	1.4 ～ 7.6
エチルアルコール	3.3 ～ 19.0
メチルアルコール	6.0 ～ 36.0

2 引火点

可燃性液体が空気中で点火したときに、燃えだすのに十分な濃度の蒸気を液面上に発生する最低の液温を**引火点**という。

また別の言い方をすれば、可燃性液体を加熱または冷却していくとき、液面付近の蒸気濃度がちょうどその蒸気の**燃焼範囲（爆発範囲）の下限値**に達したときの液温が引火点である。

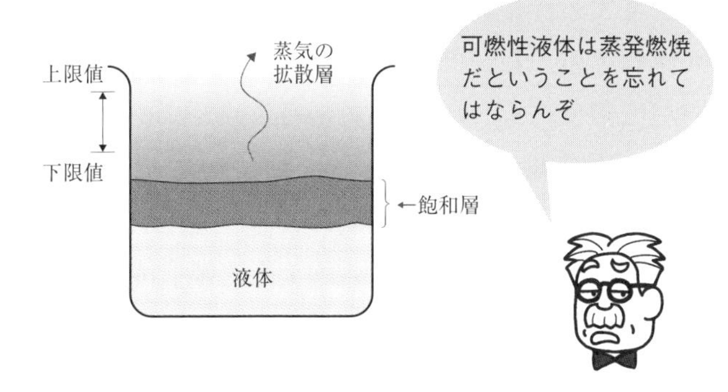

3 発火点

空気中で可燃性物質（固体・液体・気体）を加熱したときに、火炎や火花などがなくとも物質自体が発火し、燃焼を開始する最低の温度を**発火点**という。

◆ 主な物質の発火点 ◆

物質	発火点（℃）	物質	発火点（℃）
木　　材	400～470	二硫化炭素	90
黄 り ん	約50	木　　炭	320～370
三硫化りん	100	セルロイド	180
赤 り ん	260	無 煙 炭	440～500
硫　　黄	360	コークス	440～600

注意

◎引火点と引火の危険
可燃性の液体の温度が引火点より高いときは、当然可燃性蒸気は燃焼範囲に達していると考えられるので、火源があれば引火する危険が大である。

◆ 主な物質の引火点 ◆

物質	引火点（℃）
ガソリン	−45以下
原　油	−40
二硫化炭素	−30
アセトン	−20
ベンゼン	−11
トルエン	4

◎可燃性ガスとその燃焼範囲
燃焼範囲に関しては、引火性液体を中心に解説してきたが、水素・メタン・プロパンなどの可燃性ガスについても同じような燃焼範囲があることを覚えておく必要がある。

物質の危険性

物質にはそれぞれに特有の物理的、化学的性質がある。この物性を数値化することによって、その危険性の大小を比較判断することができる。

第４類危険物の危険因子を大まかにまとめると以下のようになる。

① **蒸気圧**……一般には飽和蒸気圧のことをいう。通常、温度の上昇とともに蒸気圧は増大し、危険度も増大する。

② **燃焼速度**……気体の場合には、可燃性気体と空気の混合気が静止した状態で火炎が伝播する速度のことをいう。

液体の場合には、単位時間あたりに燃焼する質量で表した質量燃焼速度と、単位時間あたりに表面が燃焼により後退した距離で表す表面後退速度がある。いずれも速度の増大とともに危険度も増大する。

③ **燃焼熱**……燃焼によって発生する熱量をいう。燃焼熱が大きいほど周囲の温度を上昇させ、燃焼の継続と拡大を招く。

④ **最小着火エネルギー**……着火爆発を起こし得る着火源の最小エネルギーをいう。エネルギーが小さいほど着火危険度も増大する。

⑤ **電気伝導度**……電気の伝わりやすさの度合いをいう。電気伝導度が小さいものほど静電気が帯電しやすく、火花放電を起こす危険度が増大する。

⑥ **沸点**……液体の内部からも気化が起こる最低の温度をいう。沸点が低いほど危険度が増大する。

⑦ **比熱**……物質１ｇを１Ｋ（℃）だけ上昇させるのに必要な熱量をいう。比熱が小さいほど少ない熱量で物質の温度が上昇するので、危険度は増大する。

◆ 第４類危険物の主な危険因子と危険度合い ◆

大きいほど危険	小さいほど危険
① 燃焼範囲（爆発範囲） ② 蒸気圧 ③ 燃焼速度 ④ 燃焼熱	① 燃焼範囲（爆発範囲）の下限値 ② 引火点 ③ 発火点 ④ 最小着火エネルギー ⑤ 電気伝導度 ⑥ 沸点 ⑦ 比熱

引火と発火、発火と自然発火の違いを明確にしておくことが大事だぞ

発火の危険

1 自然発火

物質が常温の空気中において自然に発熱し、その熱が長時間蓄積されて発火点に達し、ついには燃焼を起こす現象を**自然発火**という。

(1) **自然発火のメカニズム**

① **分解熱による発熱**……セルロイド、ニトロセルロースなど。

② **酸化熱による発熱**……乾性油、原綿、石炭、ゴム粉など。

③ **吸着熱による発熱**……活性炭、木炭粉末など。

④ **微生物による発熱**……堆肥（たいひ）、ごみなど。

⑤ **その他による発熱**

(2) **自然発火に影響する因子**

熱の蓄積、熱伝導率、堆積（たいせき）方法、空気の流動、発熱量、触媒（しょくばい）物質など。

吸着熱とは、空気中の湿気や水分を吸着して化学反応を起こして発する熱のことさ

2 混合危険

２種類以上の物質が混合したり、接触したりすることによって、発火または爆発するおそれのあることを**混合危険**という。大別すると以下の３つになる。

(1) 酸化性物質と還元性物質の混合

この２種の混合によって直ちに発火するものや発熱後しばらくしてから発火するもの、あるいは混合したものに加熱したり衝撃を与えたりすることによって発火・爆発するものなどがある。

〔酸化性物質〕 第１類および第６類の危険物

〔還元性物質〕 第２類および第４類の危険物

例）①塩素酸カリウム＋赤リン

②無水クロム酸＋アルコール（アセトン等の水溶性危険物）

(2) 酸化性塩類と強酸の混合

塩素酸塩類、過塩素酸塩類、過マンガン酸塩類などは硫酸などの強酸と混合すると不安定な遊離酸を生成する。これに可燃物が接触すると発火させ、自らも自然分解して爆発する場合がある。

例）①塩素酸カリウム＋硫酸→塩素酸→二酸化塩素

②重クロム酸カリウム＋硫酸→重クロム酸→三酸化クロム

(3) 敏感な爆発性物質をつくる場合の混合

わずかな衝撃によっても爆発する物質をつくる反応は、一般によく知られていないために思わぬ災害が発生することがある。

例）①アンモニア＋塩素→塩化窒素

②アンモニア＋ヨードチンキ→よう化窒素

いずれも、わずかな衝撃によって爆発する。

3 水分との接触による発火

物質の中には、空気中の湿気を吸収しまたは水分と接触したときにその吸着熱によって発火するものがある。

例）ナトリウム、カリウム、マグネシウム粉、アルミニウム粉など

4 爆発

一般に、急激なエネルギーの解放による圧力上昇とともに激しい音を伴う現象を爆発という。爆発を大別すると、以下の４種類がある。

(1) 粉塵（ふんじん）爆発

可燃性物質が粉体で空気中に浮遊した状態にあるとき、これに着火すると爆発する危険性がある。

(2) 可燃性蒸気の爆発

可燃性蒸気が、密閉されて燃焼範囲（爆発範囲）にある場合に、火源によって一般の燃焼よりも速く燃焼し、爆発に至る。

(3) 気体の爆発

可燃性気体の燃焼速度は可燃性蒸気の燃焼よりも速く、爆発の危険性が大きく、爆発に至るまでの時間も短い。

(4) 火薬の爆発

爆発の速度が非常に速く、危険性もきわめて大きい。第１類の危険物は可燃性ではないが、酸素をふくんでいることから第２類の危険物と混合したものは、やはり爆発の危険性が大きく、花火等の原料となっている。

補足

■吸着熱での発火
物質が水分と反応して水素などの可燃性ガスを発生し、自らの反応熱によって発火に至る。

●粉塵爆発の燃焼範囲（爆発範囲）
粉塵爆発の場合にも、その濃度に燃焼範囲（爆発範囲）がある。

可燃性粉体	爆発下限値（空気中g/m^3）
石炭	35
硫黄	35
アルミニウム	35
石けん	45
ポリエチレン	25

例題 1 難 **中** 易

燃焼について、誤っているものはどれか。1つ選びなさい。

(1) 燃焼とは、熱と光の発生を伴う酸化反応をいう。

(2) 可燃物・酸素供給体・点火源を燃焼の3要素という。

(3) 燃焼の3要素に、燃焼の継続を加えて、燃焼の4要素ともいう。

(4) 熱伝導率の大きいものほど、燃えやすい。

(5) 可燃性液体の蒸気と空気の混合割合は、多すぎても少なすぎても燃焼しない。

解答1 ▶ (4)

解説　物自体が燃えるためには、発火点に達する温度が必要である。したがって、熱伝導率が大きければ熱は放出されやすく、反対に熱伝導率が小さいほど熱が蓄えられて高温度が得られる。

例題 2 難 中 **易**

可燃性液体の燃焼の仕方として、正しいものはどれか。1つ選びなさい。

(1) 可燃性液体そのものが燃焼する。

(2) 可燃性液体は、酸素がなくても燃焼する。

(3) 可燃性液体は、発火点以上にならないと燃焼しない。

(4) 液体の表面から中へと燃えて、静かに燃焼する。

(5) 液体の表面から発生する蒸気が空気と混合したものが燃焼する。

解答2 ▶ (5)

解説　第4類の引火性液体はもちろんだが、可燃性液体の燃焼は蒸発燃焼である。

例題３ 難 中 易

可燃物が燃焼しやすい条件として、次の組み合わせのうち最も適当なものはどれか。１つ選びなさい。

	発熱量	酸化	酸素との接触面積
(1)	大	されにくい	小
(2)	大	されやすい	大
(3)	小	されにくい	大
(4)	小	されやすい	大
(5)	大	されにくい	小

例題４ 難 中 易

引火点についての説明で、正しいものを１つ選びなさい。

(1) 可燃性液体を燃焼させるのに必要な熱源の温度をいう。

(2) 可燃性液体が燃焼を継続しているときの液体の温度をいう。

(3) 可燃物を空気中で加熱した場合、点火源がなくても自ら発火する最低温度をいう。

(4) 可燃性液体の蒸気の発生量が、燃焼範囲の下限値を示すときの液温をいう。

(5) 発火点と同じ意味であるが、固体可燃物に対して発火点を用い、気体または液体可燃物に対しては引火点を用いる。

解答３ ▶ (2)

解説　発熱量が大きく、酸化されやすく、酸素との接触面積が大きいほど燃焼しやすいのは当然である。

解答４ ▶ (4)

解説　(1)引火点とは熱源の温度ではない。(2)は引火点・発火点には無関係。(3)は発火点の概要を述べている。(5)発火点は、加熱状態で自己発火するときの温度。

消火の基礎理論

まとめ&丸暗記 この節の学習内容と総まとめ

□ 消火の3要素、4要素

燃焼と消火の要素は、相対的関係にある。

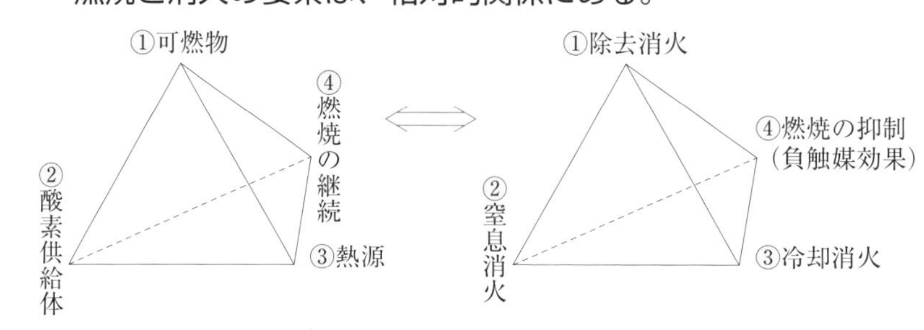

□ 除去消火とは、燃焼の一要素である可燃性物質を取り除いてしまう消火法。

□ 窒息消火とは、燃焼の一要素である酸素供給体を断つ消火法。

□ 冷却消火とは、燃焼の一要素である熱源から熱を奪う消火法。

□ 燃焼の抑制消火とは、燃焼の4要素の一つである燃焼の継続を断つ消火法。

□ 水の消火剤としての長所と短所

長所	短所
① 水はいたるところにあり、かつ安価である。 ② 蒸発熱、比熱が大きい。 ③ 大規模な火災にも効果がある。	① 水による損害などが比較的大きい。 ② 一般に油類の火災には用いられない。 ③ 電気火災では感電することがある。 ④ 注水して発熱、発火する危険物には使用できない。

消火の方法

■ 消火の 3 要素、4 要素

消火とは**燃焼の中止**である。したがって、燃焼の３要素のうちの一要素を取り除けば燃焼は中止し、消火することができる。

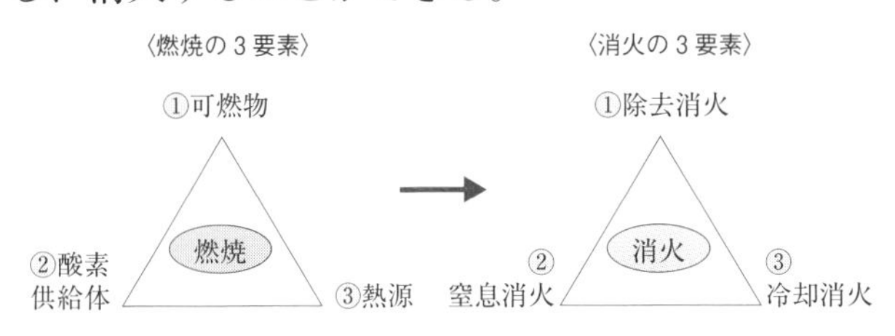

このように、消火の３要素は燃焼の３要素と相対的な関係にあることがわかる。また同じように、燃焼の４要素とも相対的な関係にあり、４番目の燃焼の継続に対しては**負触媒**(ふしょくばい)**消火法**が対応する。

負触媒消火法とは、燃焼の連続的継続を遮断するために、酸化反応に直接関係のない物質を加えて、**酸化反応を断ち切る**作用を利用した消火法である。

(1) 除去消火法

これは、燃焼の一要素である**可燃物を取り除い**てしまう消火法である。

燃焼している可燃物はもちろんのこと、延焼が考えられる場所の可燃物を取り除くことも除去消火の一つである。

●除去法としての希釈アルコールやアセトンなどの水溶性液体の場合、これに水を注ぐと火は消える。これは、原理的には液面上の可燃性蒸気の除去による消火法と考えられている。
ただし、水溶性の液体に限られることから、一般的な方法とはいえない。

注意

◎第４類危険物の消火
一般的に冷却消火（水や棒状放射の強化液）は第４類危険物の火災には適応しない。
また、第４類危険物は非水溶性で液比重が１より小さいものが多く、注水すると、燃えている危険物が水に浮いて広がり、火災の拡大につながる。

補足

■除去消火の例
①燃焼中のガスコンロの元栓を閉じる。
②ロウソクの火を吹き消す。
③森林火災などの場合、延焼のおそれのある樹木を伐採する。

(2) 窒息消火法

これは、燃焼の一要素である**酸素の供給を断つ**消火法である。この方法には、燃焼物を他の物質で覆ってしまう４つの方法がある。

① 不燃性の泡で燃焼物を覆う。

② ハロゲン化物の蒸気で燃焼面を覆う。

③ 二酸化炭素で燃焼物を覆う。

④ 固体で燃焼物を覆う。

第４類危険物に効果的な消火法である。

(3) 冷却消火法

これは、燃焼の一要素である**熱源から熱を奪い**、固体の熱分解による可燃性ガスを発生温度以下にして消火する方法である。消火剤としては、水が一般的である。

◆ 水の消火剤としての長所・短所 ◆

長所	短所
① 水はいたるところにあり、かつ安価である。 ② 蒸発熱、比熱が大きい。 ③ 大規模な火災にも効果がある。	① 水による損害などが比較的大きい。 ② 一般に油類の火災には用いられない。 ③ 電気火災では感電することがある。 ④ 注水して発熱、発火する危険物には使用できない。

(4) 燃焼の抑制消火法

これは、燃焼の４要素の一つである**燃焼の継続を断つ**方法である。消火剤としては、ハロゲン化物などがある。

消火剤としての泡の特徴は
①付着性がある
②熱に対して強い膜
③流動性がある
④凝集性・安定性がある
ただし、アルコールやアセトンなどのような泡そのものを溶かしてしまうものには、向かないぞ。
そのときは、耐アルコール泡を用いるぞ

消火設備

消火設備は、製造所等の区分・規模、危険物の品名・数量等によって、3段階に分けられて義務づけられている。また、火災は**普通火災(A火災)**・**油火災(B火災)**・**電気火災(C火災)**に分類され、それぞれ適応する消火剤・消火設備に違いがある。

◆ 消火設備の適否 ◆

消火設備の区分			第4類の危険物
第1種	屋内消火栓設備または屋外消火栓設備		
第2種	スプリンクラー設備		
第3種	水蒸気消火設備または水噴霧消火設備		○
	泡消火設備		○
	二酸化炭素消火設備		○
	ハロゲン化物消火設備		○
	粉末消火設備	りん酸塩類等を使用するもの	○
		炭酸水素塩類等を使用するもの	○
		その他のもの	
第4種または第5種	棒状の水を放射する消火器		
	霧状の水を放射する消火器		
	棒状の強化液を放射する消火器		
	霧状の強化液を放射する消火器		○
	泡を放射する消火器		○
	二酸化炭素を放射する消火器		○
	ハロゲン化物を放射する消火器		○
	消火粉末を放射する消火器	りん酸塩類等を使用するもの	○
		炭酸水素塩類等を使用するもの	○
		その他のもの	
第5種	水バケツまたは水槽		
	乾燥砂		○
	膨張ひる石または膨張真珠岩		○

備考
1　○印は、対象物の区分の欄に掲げる建築物その他の工作物、電気設備及び第1類から第6類までの危険物に、当該各項に掲げる第1種から第5種までの消火設備がそれぞれ適応するものであることを示す。
2　消火器は、第4種の消火設備については大型のものをいい、第5種の消火設備については小型のものをいう。

補足

■ 3段階の消火設備
①著しく消火困難な製造所等
②消火困難な製造所等
③その他の製造所等

◎火災の区別
①普通火災——A火災
②油火災———B火災
③電気火災——C火災

●小型消火器と大型消火器
小型消火器は一般家庭等で家屋内に常備されているもので、機動性においては初期消火に適してはいるが、消火能力の点では大型消火器には及ばない。
また大型消火器は、すべてに太くて長いホースが付いており、消火剤は多量だが機動性の点では小型消火器には及ばない。

◆ 消火器の区分と主な消火効果 ◆

消火器の区分	消火器の種類	消火剤の主成分	圧力方式	適応火災※	主な消火効果
水を放射する消火器	水消火器	水	蓄圧式 手動ポンプ式 ガス加圧式	A、(C)	冷却作用
	酸・ アルカリ消火器	炭酸水素ナトリウム 硫酸	反応式	A、(C)	冷却作用
強化液を放射する消火器	強化液消火器	炭酸カリウム	蓄圧式 反応式 ガス加圧式	A、(B、C)	冷却作用 (抑制作用)※
泡を放射する消火器	化学泡消火器	炭酸水素ナトリウム 硫酸アルミニウム	反応式	A、B	窒息作用 冷却作用
	機械泡消火器	合成界面活性剤泡または水成膜泡	蓄圧式 ガス加圧式		
ハロゲン化物を放射する消火器	ハロン1211消火器	ブロモクロロジフルオロメタン	蓄圧式	B、C	窒息作用 抑制作用
	ハロン1301消火器	ブロモトリフルオロメタン			
	ハロン2402消火器	ジブロモテトラフルオロエタン			
二酸化炭素を放射する消火器	二酸化炭素消火器	二酸化炭素	蓄圧式	B、C	窒息作用 冷却作用
粉末を放射する消火器：りん酸塩類等を使用するもの	粉末(ABC)消火器	りん酸アンモニウム	蓄圧式 ガス加圧式	A、B、C	窒息作用 抑制作用
粉末を放射する消火器：炭酸水素塩類等を使用するもの	粉末(K)(Ku)消火器	炭酸水素カリウムまたは炭酸水素カリウムと尿素の反応生成物	蓄圧式 ガス加圧式	B、C	窒息作用 抑制作用
粉末を放射する消火器：その他	粉末(Na)消火器	炭酸水素ナトリウム			

※　A：普通火災　B：油火災　C：電気火災　(　)内は、霧状に放射する場合

(注)(1) 蓄圧式とは、常時、本体容器内に消火薬剤と圧縮空気または窒素ガスを蓄圧しているもので、原則として指示圧力計が取り付けられているものをいい、加圧式とは、使用にあたり本体容器内の消火薬剤を加圧するものをいう。

(2) ハロン1301及び二酸化炭素は、液化ガスとして本体容器内に充てんされ、消火薬剤自体の蒸気圧(ハロン1301は窒素ガスで加圧したものである。)で放射されるもので、構造は蓄圧式と同様であるが、指示圧力計はつけない。

(3) ハロン1211は窒素ガスで加圧し、指示圧力計をつけている。

水と強化液には棒状放射と霧状放射がある
霧状放射のほうが適応火災は増える

(1) 消火器の設置

消火器は、防火の対象となる建造物の各フロアに設置する。また、建築物その他の工作物に対して設置する場合は、対象物から消火器までの**歩行距離が20m以下**になるようにする。

これは、危険物・指定可燃物に対して設置する場合、貯蔵所あるいは取り扱う場所からも同様である。また、電気設備のある場所で対象となる設備からも同様である。

ただし、一定量を超える指定可燃物の火災に対応して設置する大型消火器については、指定可燃物のある場所から消火器までの**歩行距離は30m以下**になるように設置しなければならない。

(2) 取扱上の留意点

消火器を取り扱う上での主な留意点は、以下のとおりである。

① 油類などの火災には、水は使用しない。

② 水溶性の液体火災には、耐アルコール泡を用いる。

③ 地下街などのような換気の悪い場所での火災には、二酸化炭素消火器あるいはハロゲン化物消火器を用いない。

■消火器の設置方法

①持ち出しやすく、通行の妨げにならない場所。

②床面から1.5m以内の場所。

③水・消火剤が凍結や変質、噴出するおそれのない場所。

④転倒防止策をとる。

◎棒状放射

消火器のノズルの先から棒状に放出する方法。

◎霧状放射

消火器のノズルの先から霧状に放出する方法。電気抵抗が大きくなるため、水の霧状放射では感電のリスクが下がり電気火災にも適応できる。強化液の霧状放射では油火災・電気火災にも適応できる。

参考

●消火器への適応火災表示

A火災（普通火災）

地色……白

B火災（油火災）

地色……黄

C火災（電気火災）

地色……青

現在は絵表示になっている。文字表示（旧規格）のものは使用できない。

例題1 難 中 **易**

消火理論について、誤っているものはどれか。1つ選びなさい。

(1) 引火性液体の燃焼には、窒息消火法が効果的である。

(2) 消火するには、燃焼の3要素のうち、少なくとも2要素を取り去る必要がある。

(3) ハロゲン化物消火剤は、負触媒（抑制）作用による消火効果が大きい。

(4) 一般に、空気中の酸素が一定濃度以下になれば、燃焼は自然に停止する。

(5) 泡消火剤には化学泡系と機械泡系の2種があるが、いずれも窒息効果がある。

解答1 ▶ **(2)**

解説 消火するには、燃焼の3要素のうち1つを取り除けばよい。燃焼の3要素は、①可燃性物質②酸素供給体③熱源である。

例題2 難 **中** 易

消火の方法とその消火効果の組み合わせとして、正しいものを1つ選びなさい。

(1) ガスの元栓をしめる……………………窒息効果

(2) 泡消火剤を放出する………………負触媒効果

(3) 水をかける………………………………窒息効果

(4) アルコールランプのふたをする…除去効果

(5) ロウソクの火を吹いて消す………除去効果

解答2 ▶ **(5)**

解説 (1)は除去消火が正しい。(2)は窒息消火が正しい。(3)は冷却消火が正しい。(4)は窒息消火が正しい。

第3章

危険物の性質と火災予防・消火方法

危険物の各類ごとの概論

まとめ&丸暗記 この節の学習内容と総まとめ

◆ 各類ごとの共通する性質・性状 ◆

類別	性質	性状（状態）	性質の概要
第1類	酸化性固体	固体	◎そのもの自体は燃焼しないが、他の物質を強く酸化させる性質を有する固体であり、可燃物と混合したとき、熱、衝撃、摩擦によって分解し、極めて激しい燃焼を起こさせる。
第2類	可燃性固体	固体	◎火炎によって着火しやすい固体または比較的低温（40℃未満）で引火しやすい固体であり、出火しやすく、かつ、燃焼が速く消火することが困難である。
第3類	自然発火性物質及び禁水性物質	液体または固体	◎空気にさらされることにより自然に発火し、または水と接触して発火しもしくは可燃性ガスを発生する。
第4類	引火性液体	液体（第3石油類、第4石油類、動植物油類は1気圧20℃で液状であるものに限る）	◎液体であって引火性を有する。
第5類	自己反応性物質	液体または固体	◎固体または液体であって、加熱分解などにより、比較的低い温度で多量の熱を発生し、または爆発的に反応が進行する。
第6類	酸化性液体	液体	◎そのもの自体は燃焼しない液体であるが、混在する他の可燃物の燃焼を促進する性質を有する。

注1　液体とは、1気圧において温度20℃で液体であるものまたは温度20℃を超え40℃以下の間において液状となるものをいう。
　2　固体とは、液体または気体（1気圧において、温度20℃で気体状であるもの）以外のものをいう。

◈ 主な危険物一覧表 ◈

種別	性質	品名	品名に該当する物品
第1類	酸化性固体	1　塩素酸塩類	塩素酸ナトリウム・塩素酸カリウム・塩素酸アンモニウム・塩素酸バリウム・塩素酸カルシウム
		2　過塩素酸塩類	過塩素酸ナトリウム・過塩素酸カリウム・過塩素酸アンモニウム
		3　無機過酸化物	過酸化リチウム・過酸化ナトリウム・過酸化カリウム・過酸化ルビジウム・過酸化セシウム・過酸化マグネシウム・過酸化カルシウム・過酸化ストロンチウム・過酸化バリウム
		4　亜塩素酸塩類	亜塩素酸ナトリウム・亜塩素酸カリウム・亜塩素酸銅・亜塩素酸鉛
		5　臭素酸塩類	臭素酸ナトリウム・臭素酸カリウム・臭素酸マグネシウム・臭素酸バリウム
		6　硝酸塩類	硝酸ナトリウム・硝酸カリウム・硝酸アンモニウム・硝酸バリウム・硝酸銀
		7　よう素酸塩類	よう素酸ナトリウム・よう素酸カリウム・よう素酸カルシウム・よう素酸亜鉛
		8　過マンガン酸塩類	過マンガン酸カリウム・過マンガン酸ナトリウム・過マンガン酸アンモニウム
		9　重クロム酸塩類	重クロム酸アンモニウム・重クロム酸カリウム
		10　その他のもので政令で定めるもの	過よう素酸ナトリウム・メタ過よう素酸・無水クロム酸（三酸化クロム）・二酸化鉛・五酸化二よう素・亜硝酸ナトリウム・亜硝酸カリウム・次亜塩素酸カルシウム・三塩素化イソシアヌル酸・ペルオキソ二硫酸カリウム・ペルオキソほう酸アンモニウム
		11　前各号に掲げるもののいずれかを含有するもの	

類別	性質	品名	物品例
第2類	可燃性固体	1 硫化りん	三硫化りん・五硫化りん・七硫化りん
		2 赤りん	
		3 硫黄	
		4 鉄粉	
		5 金属粉	アルミニウム粉・亜鉛粉
		6 マグネシウム	
		7 その他のもので政令で定めるもの（現在定められていない）	
		8 前各号に掲げるもののいずれかを含有するもの	
		9 引火性固体	固形アルコール・ラッカーパテ・ゴムのり
第3類	自然発火性物質及び禁水性物質	1 カリウム	
		2 ナトリウム	
		3 アルキルアルミニウム	
		4 アルキルリチウム	
		5 黄りん	
		6 アルカリ金属（カリウム及びナトリウムを除く）及びアルカリ土類金属	リチウム・カルシウム・バリウム
		7 有機金属化合物（アルキルアルミニウム及びアルキルリチウムを除く）	ジエチル亜鉛
		8 金属の水素化物	水素化リチウム・水素化ナトリウム
		9 金属のりん化物	りん化カルシウム
		10 カルシウムまたはアルミニウムの炭化物	炭化カルシウム・炭化アルミニウム
		11 その他のもので政令で定めるもの（塩素化けい素化合物）	トリクロロシラン
		12 前各号に掲げるもののいずれかを含有するもの	
第4類	引火性液体	1 特殊引火物	ジエチルエーテル・二硫化炭素・アセトアルデヒド・酸化プロピレン
		2 第1石油類	ガソリン・ベンゼン・トルエン・メチルエチルケトン・酢酸エチル・アセトン・ピリジン

類別	性質	品名	物品名
第4類	引火性液体	3　アルコール類	メチルアルコール・エチルアルコール・n-プロピルアルコール・イソプロピルアルコール
		4　第2石油類	灯油・軽油・キシレン・クロロベンゼン・酢酸
		5　第3石油類	重油・クレオソート油・アニリン・ニトロベンゼン・エチレングリコール・グリセリン
		6　第4石油類	ギヤー油・シリンダー油・タービン油・可塑剤
		7　動植物油類	ヤシ油・パーム油・オリーブ油・ヒマシ油・落花生油・ナタネ油・米ぬか油・ゴマ油・綿実油・トウモロコシ油・ニシン油・大豆油・ヒマワリ油・キリ油・イワシ油・アマニ油・エノ油
第5類	自己反応性物質	1　有機過酸化物	過酸化ベンゾイル・メチルエチルケトンパーオキサイド
		2　硝酸エステル類	硝酸メチル・硝酸エチル・ニトログリセリン・ニトロセルロース
		3　ニトロ化合物	ピクリン酸・トリニトロトルエン
		4　ニトロソ化合物	ジニトロソペンタメチレンテトラミン
		5　アゾ化合物	アゾビスイソブチロニトリル
		6　ジアゾ化合物	ジアゾジニトロフェノール
		7　ヒドラジンの誘導体	硫酸ヒドラジン
		8　その他のもので政令で定めるもの（金属のアジ化物、硝酸グアニジン）	アジ化ナトリウム
		9　前各号に掲げるもののいずれかを含有するもの	硝酸グアニジン
第6類	酸化性液体	1　過塩素酸	
		2　過酸化水素	
		3　硝酸	
		4　その他のもので政令で定めるもの（ハロゲン間化合物）	ふっ化塩素・三ふっ化臭素・五ふっ化臭素・五ふっ化よう素
		5　前各号に掲げるもののいずれかを含有するもの	

注　第4類を除く品名に該当する物品は、試験の結果により危険物にならない場合もある。

各類ごとの性質と特性

危険物はその性質や危険性の違いによって、第1類から第6類までの6種類に分けられているが、第4類の危険物を扱う者でも、他の類の危険物の特性を理解しておく必要がある。

以下は、その各類ごとの共通する性質をまとめたものである。

◆ 各類ごとの共通する性質・性状 ◆

類別	性質	性状（状態）	性質の概要
第1類	酸化性固体	固体	◉そのもの自体は燃焼しないが、他の物質を強く酸化させる性質を有する固体であり、可燃物と混合したとき、熱、衝撃、摩擦によって分解し、極めて激しい燃焼を起こさせる。
第2類	可燃性固体	固体	◉火炎によって着火しやすい固体または比較的低温（40℃未満）で引火しやすい固体であり、出火しやすく、かつ燃焼が速く消火することが困難である。
第3類	自然発火性物質及び禁水性物質	液体または固体	◉空気にさらされることにより自然に発火し、または水と接触して発火しもしくは可燃性ガスを発生する。
第4類	引火性液体	液体（第3石油類、第4石油類、動植物油類は1気圧20℃で液状であるものに限る）	◉液体であって引火性を有する。
第5類	自己反応性物質	液体または固体	◉固体または液体であって、加熱分解などにより、比較的低い温度で多量の熱を発生し、または爆発的に反応が進行する。
第6類	酸化性液体	液体	◉そのもの自体は燃焼しない液体であるが、混在する他の可燃物の燃焼を促進する性質を有する。

注1　液体とは、1気圧において温度20℃で液体であるものまたは温度20℃を超え40℃以下の間において液状となるものをいう。
　2　固体とは、液体または気体（1気圧において、温度20℃で気体状であるもの）以外のものをいう。

1 第１類（酸化性固体）

(1) 主な品名と物品名

塩素酸カリウム、塩素酸ナトリウム、過塩素酸カリウム、過酸化カリウムなど。

(2) 共通する特性

① 多くは白色の粉末または無色の結晶。

② 一般に不燃物だが酸素を含有し、他の物質を酸化するので燃焼が激しい。

③ 加熱、衝撃、摩擦等により分解しやすい。

④ 一般に、可燃物や有機物その他酸化されやすい物質との混合物は、加熱、衝撃、摩擦などにより爆発する危険性が大きい。

(3) 共通する火災予防方法

① 衝撃、摩擦を避ける。

② 火気、加熱を避ける。

③ 可燃物や有機物その他酸化されやすい物質との接触を避ける。

④ 強酸剤との接触を避ける。

⑤ 密封して冷所に貯蔵する。

⑥ 物質によっては防湿に注意する。

⑦ アルカリ金属の過酸化物は水との接触を避ける。

(4) 共通する消火方法

① 一般には、大量の水で冷却し、分解を抑制し、酸素の発生を抑える。

② 水と反応して酸素を放出するアルカリ金属の過酸化物には、粉末消火剤、乾燥砂、膨張ひる石などによる窒息消火を行う。

◎不燃性
第１類危険物は含有する酸素で他の物質を燃焼させるのであり、そのものは不燃性である。
「酸素を含有するので燃焼する」という選択肢は×である。

そのもの自体が燃焼しないのは、第６類もさ。第１類は固体で、第６類は液体の違いがあるだけ

2 第2類（可燃性固体）

(1) 主な品名と物品名

三硫化リン、五硫化リン、赤リン、硫黄、亜鉛粉など。

(2) 共通する特性

① 可燃性固体

② 一般に比重は1より大きく、水には溶けない。

③ 比較的低温で着火し、燃焼速度が速い。

④ 燃焼のとき有毒ガスを発生するものもある。

⑤ 酸化されやすく、燃えやすい。

⑥ 酸化剤との接触・混合は、打撃などにより爆発する危険性大。

⑦ 微粉状（びふんじょう）のものは空気中で粉塵（ふんじん）爆発を起こしやすい。

(3) 共通する火災予防方法

① 酸化剤との接触、混合を避ける。

② 炎、火花または高温物体と接近、加熱を避ける。

③ 冷所に貯蔵する。

④ 物質によっては水や酸との接触を避ける。

⑤ 一般に防湿に注意し、容器は密封する。

⑥ 無用な粉塵の堆積（たいせき）を防止し、静電気の蓄積を防止する。

(4) 共通する消火方法

① 水との接触で発火または有毒ガスを発生する物品は、乾燥砂などで窒息消火を行う。

② ①以外の物品では、水・強化液・泡等の水系の消火剤で冷却消火するか、または乾燥砂等で窒息消火を行う。

③ 可燃性固体は、泡・粉末・二酸化炭素・ハロゲン化物などにより窒息消火を行う。

3 第3類（自然発火性物質及び禁水性物質）

(1) 主な品名と物品名

カリウム、ナトリウム、アルキルアルミニウムなど。

(2) 共通する特性

① 吸湿性があり、空気中の水分と反応して発火する。

② 多くは自然発火性と禁水性の２つの危険性を有する。

(3) 共通する火災予防方法

① 禁水性の物品は、水との接触を避ける。

② 自然発火性の物品は、火気や高温体との接触や加熱を避ける。冷所に貯蔵する。

③ 容器は密閉し、容器の破損、腐食に注意する。

④ 保護液に保存されている物品は、保護液から露出しないように保護液の減少に注意する。

(4) 共通する消火方法

① 水・泡等の水系の消火薬剤は使用できない。

② 禁水性の物品には、炭酸水素塩類等を用いた粉末消火薬剤を使用する。

③ 乾燥砂・膨張ひる石・膨張真珠岩による窒息消火が有効である。

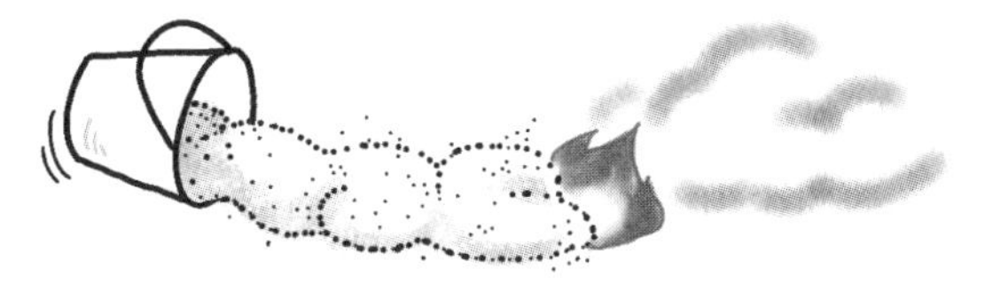

黄リンは自然発火性だが、禁水性ではない
また、リチウムは禁水性だが自然発火性ではないぞ

禁水性以外の物品には、水系の消火薬剤の使用は可能なのさ

4 第４類（引火性液体）

(1) 主な品名と物品名

特殊引火物、アルコール類、石油類、動植物油類など。

(2) 共通する特性

① 引火の危険性が高い可燃性液体である。

② 一般に、水より軽く、水に溶けないものが多い。

③ 蒸気比重が１より大きく、空気より重い（低所に滞留し危険）。

④ 発火点の低いものがある。

⑤ 電気の不良導体であり、静電気が蓄積されやすい。

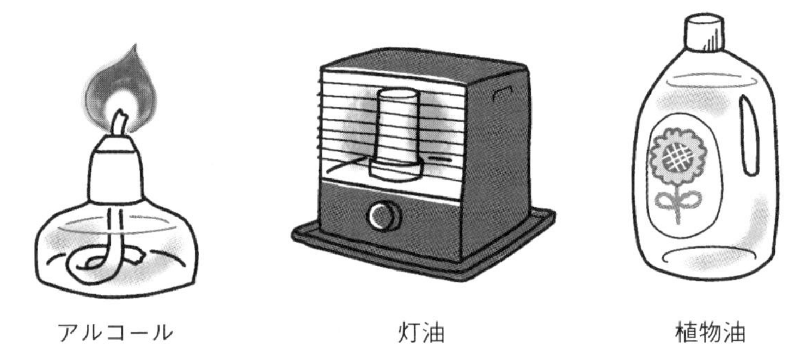

アルコール　　灯油　　植物油

(3) 共通する火災予防方法

① 炎、火花、高温体との接触または加熱を避ける。

② みだりに蒸気を発生させない。

③ 容器は密栓（みっせん）して冷所に保存する。

④ 静電気の除去に努める。

(4) 共通する消火方法

① 基本的には空気の遮断による窒息消火を行う。一般的に水や棒状放射の強化液による冷却消火は適応しない。

② 消火剤としては、霧状の強化液、泡、ハロゲン化物、二酸化炭素、粉末等がある。

③ アルコール等の水溶性のものに対しては、耐アルコール用の泡を使用する必要がある。

5 第5類（自己反応性物質）

(1) 主な品名と物品名

硝酸メチル、硝酸エチル、ニトログリセリン、セルロイドなど。

(2) 共通する特性

① 可燃性の物質（固体または液体）である。

② 比重は1より大きい。

③ 燃焼しやすく、燃焼速度が速い。

④ 加熱、衝撃、摩擦等によって発火し、爆発するものが多い。

⑤ 長時間放置すると分解が進んで、自然発火するものが多い。

(3) 共通する火災予防方法

① 火気、加熱を避ける。

② 通風のよい冷所に貯蔵する。

③ 衝撃、摩擦などを避ける。

④ 分解しやすいものは、室温、湿気、通風に留意する。

(4) 共通する消火方法

① 大量の水で冷却消火を行う。または、泡消火剤を使用する。

② 爆発的で極めて燃焼速度が速いことから、消火は極めて困難である。

注意

◎空間容積の確保
第4類危険物を容器に保存するときは、満タンにせず若干の空きをつくる。容器内の液体が熱膨張を起こして容器が破損するのを防止するためである。これは頻出である。

補足

■静電気の予防
第4類危険物をタンクや容器に注入する際には、流速を遅くする。液体の流動によって生じる静電気の量は、液体の流速に比例するためである。
また、接地（アース）によって静電気を地面に逃がす。

■水没貯蔵
二硫化炭素は揮発性があり、水より重く水に溶けにくい。そこで、蒸気の発生を防止するため水没貯蔵する。

第5類の危険物は、物質内に多量の酸素を含んでいるので、窒息消火は効果がない

6 第6類（酸化性液体）

(1) 主な品名と物品名

過酸化水素、発煙硝酸、硝酸など。

(2) 共通する特性

① 不燃性の液体である。

② 無機化合物である。

③ 水と激しく反応し、発熱するものもある。

④ 酸化力が強く、他の可燃物の燃焼を促進させる。

⑤ 可燃物や有機物に接触すると、発火させたり、有毒ガスを発生させたりする。

(3) 共通する火災予防方法

① 火気、直射日光を避ける。

② 可燃物、有機物との接触を避ける。

③ 水と反応するものもあるので、水との接触を避ける。

④ 通風をよくする。

⑤ 貯蔵容器は耐酸性のものにして、密封する。

(4) 共通する消火方法

① 特に燃焼物に対応した消火方法をとる必要がある。

② 一般に、水や泡が適切である。

有毒ガスを発生するものもある

禁水性のものもある

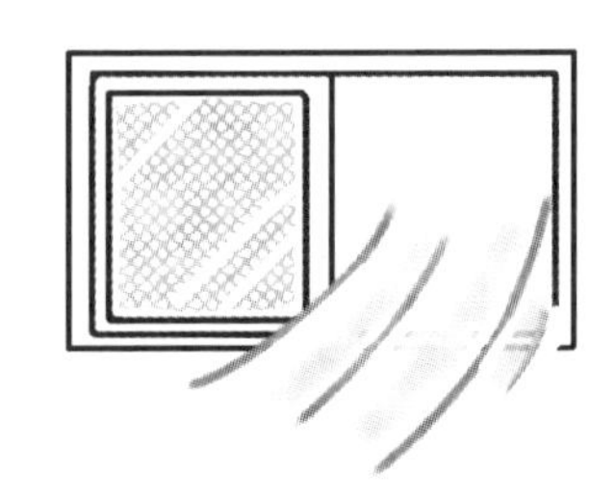

通風をよくする

例題1 難 中 易

危険物の類ごとの性状について、誤っているものはどれか。1つ選びなさい。

(1) 第1類――酸化性の固体である。
(2) 第2類――可燃性の固体である。
(3) 第4類――引火性の液体または可燃性の気体である。
(4) 第5類――自己反応性の液体または固体である。
(5) 第6類――酸化性の液体である。

例題2 難 中 易

危険物の類ごとの性状について、誤っているものはどれか。1つ選びなさい。

(1) 第1類の危険物は、自らは燃えないが、多量の酸素を含む固体である。
(2) 第2類の危険物は、比較的低温で引火しやすい可燃性の固体である。
(3) 第3類の危険物は、禁水性の固体のみである。
(4) 第5類の危険物は、加熱・衝撃・摩擦などによって発火する自己反応性の固体または液体である。
(5) 第6類の危険物は、自らは燃えないが多量の酸素を含む酸化性の液体である。

解答1 ▶ (3)

解説 第4類危険物は、すべて引火性液体である。気体は該当しない。

解答2 ▶ (3)

解説 第3類の危険物は、自然発火性物質および禁水性物質である。物質と断ってあるのは、固体も液体もふくまれるという意味である。

2 第4類危険物の品名ごとの性質

まとめ&丸暗記 この節の学習内容と総まとめ

□ 特殊引火物
① 1気圧において発火点が100℃以下
② 引火点が－20℃以下で沸点が40℃以下

□ 第1石油類
◉ 1気圧において引火点が21℃未満

□ アルコール類
① 炭化水素化合物の水素を水酸基で置換した化合物
② 消防法では、炭素数3までの飽和1価アルコール

□ 第2石油類
◉ 1気圧において引火点が21℃以上70℃未満

□ 第3石油類
◉ 1気圧において温度20℃で液状で引火点が70℃以上200℃未満

□ 第4石油類
◉ 1気圧において温度20℃で液状であって、引火点が200℃以上250℃未満

□ 動植物油類
◉ 1気圧において引火点が250℃未満

□ ヨウ素価と自然発火
動植物油類の自然発火は、乾性油ほど発生しやすい。この乾性を油脂100gに吸収するヨウ素のグラム数で表したものをヨウ素価という。ヨウ素価が大きいほど、自然発火しやすい。

主な第４類の性状等の比較

以下の数値は概数である。また、引火点等については、各論での数値を必ず参照すること。

◆ 主な第４類危険物の性状等比較一覧 ◆

品名		種類	液体色	水溶性	引火点	発火点	比重	沸点℃	燃焼範囲
特殊引火物		ジエチルエーテル	無色	△	−45	160	0.71	35	1.9〜36.0
特殊引火物		二硫化炭素	無色	×	−30	90	1.26	46	1.0〜50.0
特殊引火物		アセトアルデヒド	無色	○	−39	175	0.78	20	4.0〜60.0
特殊引火物		酸化プロピレン	無色	○	−37	449	0.83	35	2.8〜37.0
第1石油類	非水溶	ガソリン	オレンジ色(着色)	×	−40	300	※0.65	※40	1.4〜7.6
第1石油類	非水溶	ベンゼン	無色	×	−10	498	0.88	80	1.3〜7.1
第1石油類	非水溶	トルエン	無色	×	5	480	0.87	111	1.2〜7.1
第1石油類	水溶	アセトン	無色	○	−20	465	0.79	57	2.15〜13.0
アルコール類		メチルアルコール	無色	○	11	385	0.79	65	6.0〜36.0
アルコール類		エチルアルコール	無色	○	13	363	0.79	78	3.3〜19.0
アルコール類		n-プロピルアルコール	無色	○	23	412	0.80	97	2.1〜13.7
アルコール類		イソプロピルアルコール	無色	○	15	399	0.79	82	2.0〜12.7
第2石油類	非水溶	灯油	無色、淡紫黄色	×	40	※220	0.80	※145	1.1〜6.0
第2石油類	非水溶	軽油	淡黄色、淡褐色	×	45	※220	0.85	※170	1.0〜6.0
第2石油類	非水溶	キシレン(0−)	無色	×	33	463	0.88	144	1.0〜6.0
第2石油類	水溶	酢酸	無色	○	41	463	1.05	118	4.0〜19.9
第3石油類	非水溶	重油	褐色、暗褐色	×	※60	※250	※0.90	300	
第3石油類	非水溶	クレオソート油	黄色、暗緑色	×	73	336	1.00	200	
第3石油類	非水溶	ニトロベンゼン	淡黄色、暗黄色	×	88	482	1.20	211	
第3石油類	水溶	グリセリン	無色	○	177	370	1.26	290	

備考　水溶性の欄の、○は溶、△は易、×は不溶を示す。
引火点、発火点、比重、沸点で数値に幅があるものは最小値を適用してあり「※」を付してある。

ガソリン

〈第１石油類〉

灯油

〈第２石油類〉

重油

〈第３石油類〉

機械油

〈第４石油類〉

1 特殊引火物

特殊引火物とは、ジエチルエーテル・二硫化炭素ほか、1気圧において**発火点が100℃以下**のものまたは**引火点が−20℃以下**で、**沸点が40℃以下**のものをいう。

2 第1石油類

第1石油類とは、1気圧において**引火点が21℃未満**のものをいう。

3 アルコール類

アルコール類とは、炭化水素化合物の水素を水酸基で置換した形の化合物をいう。消防法では、**炭素数3までの飽和1価アルコール**を対象としている。

4 第2石油類

第2石油類とは、1気圧において**引火点が21℃以上70℃未満**のものをいう。

5 第3石油類

第3石油類とは、1気圧において**引火点が70℃以上200℃未満**のものをいう。

6 第4石油類

第4石油類とは、1気圧において温度20℃で液状であって**引火点が200℃以上250℃未満**のものをいう。

7 動植物油類

動植物油類とは、1気圧において**引火点が250℃未満**のものをいう。

第4類危険物の品名は引火点の低い順に区分されているぞ
だから、第1石油類と第2石油類の間にアルコール類が組み込まれているのだ

品名ごとの各論

1 特殊引火物

【ジエチルエーテル（別名エーテル、エチルエーテル）】

形状	・無色透明　・芳香臭
性質	・比重0.7 ・沸点34.5℃ ・発火点160℃ ・引火点－45℃ ・蒸気比重2.6 ・水にはわずかに溶け、アルコールにはよく溶ける ・揮発しやすい
危険性	・引火しやすい ・日光にさらしたり、空気に長くさらしたりすると過酸化物を生じ、加熱・衝撃等で爆発する ・静電気を生じやすい ・蒸気は麻酔性がある
火災予防方法	・火気を近づけない ・換気のよい場所で貯蔵する ・直射日光を避けて冷所で貯蔵する ・密栓する ・沸点以上にならないよう、冷却装置等で温度管理する
消火方法	・消火剤＝二酸化炭素、耐アルコール泡、粉末消火剤 ・消火効果＝窒息消火

●主な用途●

有機溶剤、レザー・火薬・ゴムの製造、医薬品、全身麻酔剤、香料など。

【二硫化炭素】

形状	・無色の透明　・不快臭 ・一般のものは不純物が多く黄色を呈する
性質	・比重1.3 ・沸点46.3℃ ・発火点90℃ ・引火点－30℃以下 ・蒸気比重2.60 ・水には溶けないが、アルコール、ジエチルエーテルにはよく溶ける
危険性	・引火しやすい ・静電気を生じやすい ・蒸気は有毒 ・発火点が低く、蒸気配管などに接触しただけでも発火する
火災予防方法	・火気を近づけない ・換気のよい場所で貯蔵する ・直射日光を避けて冷所で貯蔵する ・密栓する ・水より重く、水に溶けないので、水没して貯蔵する
消火方法	・消火剤＝二酸化炭素、耐アルコール泡、粉末消火剤 ・消火効果＝窒息消火 ・比重が１より大きいことから、場合によっては水を流し込めば窒息消火可能

●主な用途●

セロファン、可塑剤、界面活性剤、殺虫剤、溶剤、ゴム加硫促進剤、四塩化炭素の原料など。

【アセトアルデヒド】

形状	・無色透明　・高濃度のものは刺激臭 ・低濃度のものは果実芳香臭
性質	・比重0.8 ・沸点20.2℃ ・発火点175℃ ・引火点－39℃ ・水によく溶け、アルコール、ジエチルエーテルにも溶ける ・油脂などをよく溶かす ・揮発しやすい ・酸化すると酢酸になる
危険性	・きわめて引火しやすい ・蒸気は粘膜を刺激し、有毒 ・熱または光で分解するとメタンと一酸化炭素となる
火災予防方法	・火気を近づけない ・換気のよい場所で貯蔵する ・直射日光を避けて冷所で貯蔵する ・密栓する ・沸点にならないよう、冷却装置等を設け温度管理する ・貯蔵する場合は不活性ガスを封入する ・貯蔵タンクや容器は鋼製とし、銅およびその合金または銀などを使用しない
消火方法	・消火剤＝耐アルコール泡、二酸化炭素、粉末、ハロゲン化物、少量の場合は注水消火 ・消火効果＝窒息消火、冷却消火

●主な用途●

酢酸・無水酢酸などの原料、溶剤、魚の防腐剤、防かび剤など。

【酸化プロピレン】

形状	・無色透明　・エーテル臭
性質	・比重0.83 ・沸点33.9℃ ・発火点465℃ ・引火点－37.0℃ ・水、エチルアルコール、ジエチルエーテルによく溶ける
危険性	・きわめて引火しやすい ・重合する性質があり、その際熱を発生し、火災や爆発の原因となる ・銀や銅などの金属に接触すると重合が促進されやすい ・蒸気は有毒 ・皮膚に触れると炎傷を起こす
火災予防方法	・火気を近づけない ・換気のよい場所で貯蔵する ・直射日光を避けて冷所で貯蔵する ・密栓する ・沸点にならないよう、冷却装置等を設け温度管理する ・貯蔵する場合は不活性ガスを封入する
消火方法	・消火剤＝耐アルコール泡、二酸化炭素、粉末、ハロゲン化物、少量の場合は注水消火 ・消火効果＝窒息消火、冷却消火

●主な用途●

ポリエステル・ウレタンフォーム・合成樹脂等の原料、界面活性剤、顔料、殺鼠剤など。

2 第１石油類

【ガソリン】

形状	・無色　・石油臭 ・比重0.65～0.80 ・発火点約300℃ ・揮発しやすい ・水には溶けない ・電気の不良導体
性質	■自動車ガソリン■ ・引火点－40℃以下 ・灯油や軽油との識別のためにオレンジ色に着色 ■工業ガソリン■ ・沸点範囲（ベンジン30～150℃、ゴム揮発油80～160℃、大豆揮発油60～90℃）
危険性	・きわめて引火しやすい ・蒸気は空気より約３～４倍重く、低所に滞留しやすい ・電気の不良導体なので、流動などの際に静電気を発生しやすい
火災予防方法	・火気を近づけない ・火花を発する機械器具を使用しない ・通風、換気をよくする ・冷所に貯蔵する ・密栓する ・川、下水溝などに流出させない ・静電気の蓄積を防ぐ
消火方法	・消火剤＝泡、二酸化炭素、粉末、ハロゲン化物 ・消火効果＝窒息消火

●主な用途●

燃料、洗浄・ゴム・塗料・ドライクリーニングなどの溶剤など。

【ベンゼン（別名ベンゾール）】

形状	・無色透明　・芳香臭
性質	・比重0.88 ・沸点80.1℃ ・発火点498℃ ・引火点－11℃ ・水に溶けないが、アルコール、ジエチルエーテルなど多くの有機溶剤によく溶ける ・各種の有機溶剤をよく溶かす ・揮発性があり有毒
危険性	・きわめて引火しやすい ・蒸気は空気より重いため、低所に滞留しやすい ・電気の不良導体のため、流動などの際に静電気を発生しやすい ・毒性が強く、蒸気を吸入すると中毒症状を起こす
火災予防方法	・火気を近づけない ・火花を発する機械器具を使用しない ・通風、換気をよくする ・密栓する ・川、下水溝などに流出させない ・静電気の蓄積を防ぐ ・冬期、固化したものでも引火の危険がある
消火方法	・消火剤＝泡、二酸化炭素、粉末、ハロゲン化物 ・消火効果＝窒息消火

●主な用途●

染料・合成ゴム・合成繊維・医薬品の原料、爆薬、抽出剤など。

【トルエン（別名トリオール）】

形状	・無色　・芳香臭
性質	・比重0.87 ・沸点110.6℃ ・発火点480℃ ・引火点４℃ ・水には溶けないが、アルコール、ジエチルエーテルなどの有機溶剤によく溶ける ・揮発性がある ・毒性はベンゼンより少ない
危険性	・引火しやすい ・流動の際に静電気を発生しやすい
火災予防方法	・火気を近づけない ・火花を発する機械器具を使用しない ・通風、換気をよくする ・冷所に貯蔵する ・密栓する ・川、下水溝などに流出させない ・静電気の蓄積を防ぐ
消火方法	・消火剤＝泡、二酸化炭素、粉末、ハロゲン化物 ・消火効果＝窒息消火

●主な用途●

爆薬・染料・有機顔料・医薬品・甘味剤・香料・合成繊維などの原料、塗料溶剤、石油精製など。

【アセトン（別名ジメチルケトン）】

形状	・無色透明　・芳香臭
性質	・比重0.8 ・沸点56.3℃ ・発火点465℃ ・引火点－20℃ ・水によく溶け、アルコール、ジエチルエーテルにもよく溶ける ・揮発しやすい
危険性	・引火しやすい ・静電気の火花で着火することがある
火災予防方法	・火気を近づけない ・通風をよくする ・直射日光を避けて冷所で貯蔵する ・密栓する
消火方法	・消火剤＝泡、二酸化炭素、粉末、ハロゲン化物 ・消火効果＝窒息消火

●主な用途●

低沸点乾燥剤、樹脂・塗料・フィルム・火薬の製造、有機溶剤、アセチレンをボンベに充填する際の溶剤など。

3 アルコール類

【メチルアルコール（別名メタノール、木精）】

形状	・無色透明　・芳香臭
性質	・比重0.8 ・沸点64.7℃ ・発火点385℃ ・引火点11℃ ・水、エチルアルコール、ジエチルエーテル、その他多くの有機溶剤とよく混ざる ・有機物をよく溶かす ・揮発性がある ・自動車の燃料として使用される
危険性	・引火しやすい ・引火点が11℃なので冬期は燃焼性混合気を生成しないが、加熱や夏期などの液温が高いときは、引火危険はガソリンと同じである ・毒性がある ・無水クロム酸と接触すると激しく反応し、発火の危険がある
火災予防方法	・火気を近づけない ・通風、換気をよくする ・火花を発する機械器具を使用しない ・冷所に貯蔵する ・密栓する ・川、下水溝などに流出させない
消火方法	・消火剤＝耐アルコール泡、二酸化炭素、粉末、ハロゲン化物 ・消火効果＝窒息消火

【エチルアルコール（別名エタノール、酒精）】

形状	・無色透明　・芳香臭
性質	・比重0.79 ・沸点78.3℃ ・発火点363℃ ・引火点13℃ ・毒性はないが、麻酔性がある ・濃硫酸との混合物を140℃に熱すると、ジエチルエーテルが抽出される ・水、エチルアルコール、ジエチルエーテル、その他多くの有機溶剤とよく混ざる ・有機物をよく溶かし、揮発性がある
危険性	・毒性の点を除いて、メチルアルコールに準じる ・13〜38℃においてエチルアルコールの液面上の空間は、爆発性の混合ガスを形成していることから、引火爆発の危険がある
火災予防方法	・火気を近づけない ・通風、換気をよくする ・火花を発する機械器具を使用しない ・冷所に貯蔵する ・密栓する ・川、下水溝などに流出させない
消火方法	・消火剤＝耐アルコール泡、二酸化炭素、粉末、ハロゲン化物 ・消火効果＝窒息消火

●主な用途●

飲料、有機溶剤、消毒、燃料、医薬品原料、自動車燃料など。

4 第2石油類

【灯油（別名ケロシン）】

形状	・無色または淡紫黄色　・石油臭
性質	・比重0.79～0.80 ・沸点範囲150～320℃ ・発火点220℃ ・引火点40℃以上 ・水には溶けない ・市販の白灯油の引火点は、一般に45～55℃
危険性	・加熱などにより液温が引火点以上になると、引火危険はガソリンとほぼ同じになる ・霧状となって浮遊するとき、または布などに染み込んだ状態では、空気との接触面積が大きくなるので危険度が増す ・蒸気は空気より約4～5倍重いので、低所に滞留しやすい ・流動などの際に静電気を発生しやすい
火災予防方法	・火気を近づけない ・通風、換気をよくする ・火花を発する機械器具を使用しない ・冷所に貯蔵する ・密栓する ・川、下水溝などに流出させない ・静電気の蓄積を防ぐ ・ガソリンと混合させない
消火方法	・消火剤＝泡、二酸化炭素、粉末、ハロゲン化物 ・消火効果＝窒息消火

【軽油（別名ディーゼル油）】

形状	・淡黄色または淡褐色
性質	・比重0.83～0.88 ・沸点範囲200～350℃ ・発火点220℃ ・引火点45℃ ・水には溶けない
危険性	・加熱などにより液温が引火点以上になると、引火危険はガソリンとほぼ同じになる ・霧状となって浮遊するとき、または布などに染み込んだ状態では、空気との接触面積が大きくなるので危険度が増す ・蒸気は空気より約４～５倍重いので、低所に滞留しやすい ・流動などの際に静電気を発生しやすい
火災予防方法	・火気を近づけない ・通風、換気をよくする ・火花を発する機械器具を使用しない ・冷所に貯蔵する ・密栓する ・川、下水溝などに流出させない ・静電気の蓄積を防ぐ ・ガソリンと混合させない
消火方法	・消火剤＝二酸化炭素、粉末、ハロゲン化物 ・消火効果＝窒息消火

●主な用途●

発動機燃料、石油ストーブ燃料、機械器具の洗浄、切削油原料、ガス吸収剤料など。

【酢酸（別名氷酢酸）】

形状	・刺激臭と酸味
性質	・比重1.05 ・沸点117.8℃ ・発火点463℃ ・引火点41℃ ・約17℃以下になると凝固する ・水、エチルアルコール、ジエチルエーテルによく溶け、エチルアルコールと反応して酢酸エステルを生成する ・水溶液は弱い酸性を示す ・食酢は３～５％の水溶液
危険性	・可燃性である ・皮膚に触れると火傷を起こす ・強い腐食性の有機酸で高純度品よりも水溶液のほうが腐食性が強い ・濃い蒸気を吸入すると粘膜を刺激し、炎症を起こす
火災予防方法	・火気を近づけない ・通風、換気をよくする ・火花を発する機械器具を使用しない ・冷所に貯蔵する ・密栓する ・川、下水溝などに流出させない ・コンクリートを腐食させるので、床などの部分はアスファルト等の腐食しない材料を用いる
消火方法	・消火剤＝粉末、耐アルコール泡 ・消火効果＝窒息消火

5 第3石油類

【重油】

形状	・褐色または暗褐色の粘性ある液体
性質	・比重0.90～1.00（一般に、水よりやや軽い） ・沸点300℃以上 ・発火点250～380℃ ・引火点60～150℃ ・水には溶けない ・原油の常圧蒸留で生成する ・不純物としてふくまれる硫黄は燃えると有毒ガスを発生する
危険性	・加熱しなければ危険性は少ないが、霧状になったものは引火点以下でも危険である ・燃焼温度が高いので消火は困難である
火災予防方法	・火気を近づけない ・冷所に貯蔵する ・分解重油の場合、自然発火に注意する
消火方法	・消火剤＝ハロゲン化物、二酸化炭素、粉末、泡 ・消火効果＝窒息消火

重油は、原油を蒸留して揮発油、灯油、軽油などを分別した後の高沸点の油分のことさ

●主な用途●

燃料、潤滑油・アスファルトの原料など。

【クレオソート油】

形状	・黄色または暗緑色　・特異な臭気
性質	・比重1.0以上 ・沸点199.4～400℃ ・発火点336.1℃ ・引火点73.9℃ ・水には溶けない ・コールタールを分留するとき温度230～270℃の間の留出物で、エチルアルコール、ジエチルエーテルに溶ける
危険性	・加熱しなければ危険性は少ないが、霧状になったものは引火点以下でも危険である ・燃焼温度が高い ・蒸気は有毒である
火災予防方法	・火気を近づけない ・冷所に貯蔵する
消火方法	・消火剤＝ハロゲン化物、二酸化炭素、粉末、泡 ・消火効果＝窒息消火

クレオソート油は、コールタールから分留してできるぞ
だから、タール重油ともいわれているのだよ

●主な用途●
カーボンブラックの原料、木材防腐剤（注入・塗装用）、漁網染料、消毒剤、燃料など。

【グリセリン】

形状	・無色透明　・甘味
性質	・比重1.3 ・沸点290℃（分解） ・発火点370℃ ・引火点160℃ ・水、エチルアルコールには溶ける ・二硫化炭素、ベンゼン等には溶けない
危険性	・引火点が常温より高いことから、加熱しなければ引火の危険性は少ない
火災予防方法	・火気を近づけない
消火方法	・消火剤＝二酸化炭素、粉末、耐アルコール泡 ・消火効果＝窒息消火

グリセリンは石けんをつくるときの副産物としてもできるらしいぞ

それより、ダイナマイトの原料になるほか下剤としての浣腸剤として使われているのさ

参考

●主な用途●

タバコの保湿剤、火薬、不凍剤、医薬品、セロハン繊維潤滑剤、印刷インキの原料など

6 第4石油類

第4石油類とは、1気圧において**引火点が200℃以上250℃未満のもの**をいう。

(1) **種類**

ギヤー油、シリンダー油、タービン油、マシン油、モーター油、リン酸トリクレジル、セバチン酸ジオクチルなど。

(2) **共通する形状・性質**

① 水には溶けない。

② 粘り気の大きい液体である。

③ 多くが液比重が1より小さく、水に浮かぶ。

(3) **危険性**

◉ 引火点が高く、ほとんど蒸発しない。しかし、いったん燃焼すると非常な高温となり、消火困難で危険性が大となる。

(4) **火災予防方法**

① 火気を近づけない。

② 冷所に貯蔵する。

(5) **消火方法**

① 消火剤＝ハロゲン化物、二酸化炭素、粉末、泡

② 消火効果＝窒息効果

(6) **主な用途**

潤滑油（ギヤー油、シリンダー油、タービン油、モーター油、内燃機関油など）、可塑剤（リン酸トリクレジル）、切削油、焼入油、電気絶縁油、熱媒体など。

◎品名が同じであっても、引火点が200℃未満のものもある。それらの危険物は、第4石油類ではなく第3石油類に該当することになる。

補足

■**主な第4石油類の危険物と性質**

①ギヤー油
比重0.90
引火点220℃

②シリンダー油
比重0.95
引火点250℃

③タービン油
比重0.88
引火点230℃

④マシン油
比重0.92
引火点200℃

⑤モーター油
比重0.82
引火点230℃

7 動植物油類

動植物油類とは、動物の脂肉または植物の種子もしくは果肉等から抽出したものであって、1気圧において**引火点が250℃未満のもの**をいう。

(1) **種類**

ヤシ油、ニシン油、アマニ油など。非常に多くの種類がある。

その他の主な動植物油には、オリーブ油、ヒマシ油、落花生油、ナタネ油、米ぬか油、ゴマ油、大豆油、ヒマワリ油などがあるぞ

(2) **共通する形状・性質**

① 一般に純粋なものは無色透明。

② 一般に不飽和脂肪酸をふくむ。

③ すべて非水溶性で比重は1より小さく、水より軽い。

④ 比重約0.9

⑤ 引火点250℃未満

(3) **危険性**

① ボロ布などに染み込んだものは、自然発火の危険性がある。

② 蒸発しにくく引火しにくいが、着火すると重油と同様な危険性がある。

(4) **火災予防方法**

① 火気を近づけない。

② 冷所に貯蔵する。

(5) **消火方法**

① 消火剤＝ハロゲン化物、二酸化炭素、粉末、泡。

② 消火効果＝窒息消火

動植物油類は、①不乾性油②半乾性油③乾性油の3つに分けられるのさ

(6) ヨウ素価と自然発火

動植物油類の自然発火は、油が空気中で酸化し、その反応時に発生した酸化熱が蓄積されて、やがて発火点に達して燃焼する。

この**自然発火**は、**乾性油（乾きやすい油）**ほど起こりやすい。乾きやすさを油脂100gに吸収するヨウ素のグラム数で表したものを**ヨウ素価**という。**不飽和脂肪酸**が多いほどヨウ素価が大きく、ヨウ素価が大きいほど自然発火しやすい。

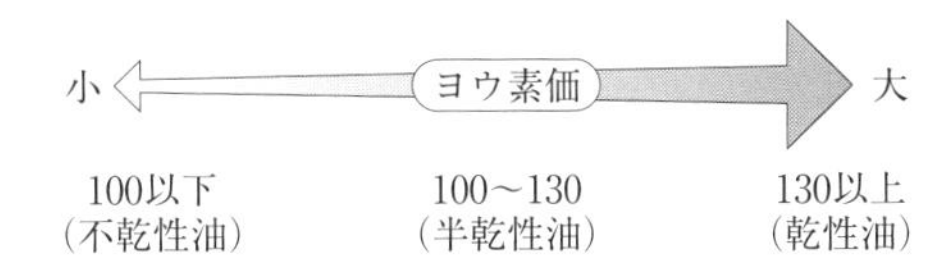

補足

■乾性

乾性とは、乾きやすさのことをいう。脂肪油などのうち、物などに塗って空気にさらしておくと短時間で樹脂状に固化乾燥する性質をいう。厳密には、揮発性や蒸発とは異なる。

例題1　難　**中**　易

二硫化炭素について、誤っているものはどれか。1つ選びなさい。

(1) 発火点が90℃で、引火点は0℃以下である。
(2) 燃焼すると有毒な二酸化硫黄を発生する。
(3) 蒸気は有毒で、窒息性・刺激性があり、吸入すると危険である。
(4) 燃焼範囲は、ガソリンよりも狭い。
(5) 純粋なものは、無色透明な液体である。

解答1 ▶ (4)

解説　二硫化炭素の燃焼範囲は1～50%で、ガソリンの燃焼範囲は1.4～7.6%である。

例題2　難　中　**易**

第1石油類の説明として、誤っているものはどれか。1つ選びなさい。

(1) 主なものとして、ガソリン・ベンゼン・トルエンなどがある。
(2) 1気圧において、引火点が21℃未満の液体

解答2 ▶ (4)

解説　第4類危険物は、すべて引火性液体である。気体は該当しない。

である。
(3) すべて電気の不良導体である。
(4) 常温では、液体または気体である。
(5) 引火点が−20℃以下のものもある。

例題3 難 中 易

ガソリンについて、誤っているものはどれか。1つ選びなさい。

(1) 水には溶けない。
(2) 純度の高いものは、無色・無臭である。
(3) 蒸気は、空気より重い。
(4) 用途別に、自動車ガソリン・航空ガソリン・工業ガソリンなどの種類がある。
(5) 電気の不良導体であるため、流動摩擦により静電気が発生しやすい。

解答3 ▶ (2)

解説　ガソリンは本来無色で特臭がある。ただし、自動車燃料用のガソリンはオレンジ色に着色されている。

例題4

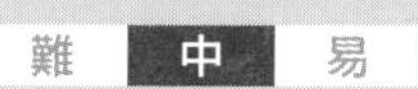

アルコール類について、誤っているものはどれか。1つ選びなさい。

(1) 燃焼すると黒いすすが発生する。
(2) 蒸気を発生しやすいが、引火点が常温以上のものがある。
(3) メチルアルコールは毒性が強い。
(4) 自動車の燃料としても使用される。
(5) 酒類の主成分は、エチルアルコールである。

解答4 ▶ (1)

解説　アルコールの燃焼は、炎が見えないほど淡く、燃焼気体もクリーンである。

例題５ 難 中 易

メチルアルコールについて、誤っているものはどれか。１つ選びなさい。

(1) 引火点は、エチルエルコールより低い。
(2) 沸点は、エチルアルコールより低い。
(3) 揮発性で無色透明の芳香のある液体である。
(4) 水および多くの有機溶剤に溶ける。
(5) 常温では、引火の危険性はない。

解答５ ▶ (5)

解説　メチルアルコールの引火点は11℃なので、常温でも十分引火の危険がある。

例題６

灯油および軽油について、誤っているものはどれか。１つ選びなさい。

(1) いずれも水より軽い。
(2) いずれも水に溶けない。
(3) いずれも蒸気比重は4.5である。
(4) いずれも引火点は常温より高い。
(5) いずれも発火点は100℃より低い。

解答６ ▶ (5)

解説　発火点は、灯油も軽油も共に220℃である。

例題７ 難 中 易

氷酢酸について、誤っているものはどれか。１つ選びなさい。

(1) 引火点は41℃である。
(2) 発火点は、軽油の２倍以上の高さである。
(3) 水溶液は、弱い酸性を示す。
(4) 蒸気比重は、空気の約２倍である。
(5) 15℃では凝固しない。

解答７ ▶ (5)

解説　氷酢酸の融点は16.6℃、引火点は41℃である。したがって15℃で凝固する。

索引

乙種第4類危険物取扱者 スピードテキスト〔第4版〕

2006年4月1日 初 版 第1刷発行
2024年10月20日 第4版 第1刷発行

編著者 TAC株式会社（危険物研究会）
発行者 多田敏男
発行所 TAC株式会社 出版事業部（TAC出版）
〒101-8383
東京都千代田区神田三崎町3-2-18
電話 03(5276)9492(営業)
FAX 03(5276)9674
https://shuppan.tac-school.co.jp

組 版 株式会社 グラフト
印 刷 株式会社 ワコー
製 本 株式会社 常川製本

ISBN 978-4-300-11255-7
N.D.C. 317

TAC出版

(2024年2月現在)

書籍のご購入は

1 全国の書店、大学生協、ネット書店で

2 TAC各校の書籍コーナーで

資格の学校TACの校舎は全国に展開!
校舎のご確認はホームページにて

資格の学校TAC ホームページ
https://www.tac-school.co.jp

3 TAC出版書籍販売サイトで

TAC 出版 で 検索

https://bookstore.tac-school.co.jp/

新刊情報を
いち早くチェック!

たっぷり読める
立ち読み機能

学習お役立ちの
特設ページも充実!

TAC出版書籍販売サイト「サイバーブックストア」では、TAC出版および早稲田経営出版から刊行されている、すべての最新書籍をお取り扱いしています。
また、会員登録(無料)をしていただくことで、会員様限定キャンペーンのほか、送料無料サービス、メールマガジン配信サービス、マイページのご利用など、うれしい特典がたくさん受けられます。

サイバーブックストア会員は、特典がいっぱい!(一部抜粋)

通常、1万円(税込)未満のご注文につきましては、送料・手数料として500円(全国一律・税込)頂戴しておりますが、1冊から無料となります。

専用の「マイページ」は、「購入履歴・配送状況の確認」のほか、「ほしいものリスト」や「マイフォルダ」など、便利な機能が満載です。

メールマガジンでは、キャンペーンやおすすめ書籍、新刊情報のほか、「電子ブック版 TACNEWS(ダイジェスト版)」をお届けします。

書籍の発売を、販売開始当日にメールにてお知らせします。これなら買い忘れの心配もありません。

書籍の正誤に関するご確認とお問合せについて

書籍の記載内容に誤りではないかと思われる箇所がございましたら、以下の手順にてご確認とお問合せをしてくださいますよう、お願い申し上げます。
なお、正誤のお問合せ以外の**書籍内容に関する解説および受験指導などは、一切行っておりません。**
そのようなお問合せにつきましては、お答えいたしかねますので、あらかじめご了承ください。

1 「Cyber Book Store」にて正誤表を確認する

TAC出版書籍販売サイト「Cyber Book Store」の
トップページ内「正誤表」コーナーにて、正誤表をご確認ください。

CYBER BOOK STORE TAC出版書籍販売サイト

URL:https://bookstore.tac-school.co.jp/

2 1の正誤表がない、あるいは正誤表に該当箇所の記載がない ⇒ 下記①、②のどちらかの方法で文書にて問合せをする

★ご注意ください★

お電話でのお問合せは、お受けいたしません。
①、②のどちらの方法でも、お問合せの際には、「お名前」とともに、
「対象の書籍名(○級・第○回対策も含む)およびその版数(第○版・○○年度版など)」
「お問合せ該当箇所の頁数と行数」
「誤りと思われる記載」
「正しいとお考えになる記載とその根拠」
を明記してください。
なお、回答までに1週間前後を要する場合もございます。あらかじめご了承ください。

① ウェブページ「Cyber Book Store」内の「お問合せフォーム」より問合せをする

【お問合せフォームアドレス】

https://bookstore.tac-school.co.jp/inquiry/

② メールにより問合せをする

【メール宛先　TAC出版】

syuppan-h@tac-school.co.jp

※土日祝日はお問合せ対応をおこなっておりません。
※正誤のお問合せ対応は、該当書籍の改訂版刊行月末日までといたします。

乱丁・落丁による交換は、該当書籍の改訂版刊行月末日までといたします。なお、書籍の在庫状況等により、お受けできない場合もございます。
また、各種本試験の実施の延期、中止を理由とした本書の返品はお受けいたしません。返金もいたしかねますので、あらかじめご了承くださいますようお願い申し上げます。

(2022年7月現在)